어서와!
사주독학은 처음이지
술술 풀리는 사주
박광열 지음

일러두기

이 책은 일목요연하고 쉽게 자신의 운세를 풀어보고 점진적 단계를 통하여 사주를 짚어 풀어가는 방법에 대해 우주순환 원리인 음양오행의 순환이치와 이를 풀어낸 십신을 적용하여 누구나 쉽게 접근할수 있도록 최대한 흥미와 실용성을 가미해 집필하였습니다.
본서에서 다루는 핵심은 인생을 살아가면서 자신의 운명을 읽어 대처해 나가는데 있어 성향과 특질, 상생과 상극법칙, 체질등을 분석하고 이를 사주 각 기둥과 세운과 일운에 적용함에 있어서 이런 규칙과 법칙과 이치들이 어떻게 현실에서 다양한 형태로 나타나는지 분석하여 실질적이고 실용적으로 간명할수 있도록 설명하였습니다.
사주는 어렵고 전문적이고 체계적인 지식을 습득한 사람만 다룰수 있었는데 이를 현대에 맞도록 재해석하고 현실에 맞도록 어려운 용어를 가급적 지향하고 자신에 대한 객관적 분석이 가능하도록 최대한 알기쉽고 접근하기 쉽도록 심플하게 설명하고 복잡하지 않은 풀이법을 전개함으로써 본서 한권으로 사주에 관심있는 초보자 뿐만 아니라 실용적 생활 사주나 운세의 흐름을 짚고자 할 때 아주 유용하도록 설계하였습니다.
"천리길도 한걸음부터"라는 속담이 있습니다.
바로 사주의 습득과 접근에 가장 어울리는 말이라고 생각합니다.
사주를 단순하게 암기식으로 접근하다보면 복잡 다양한 인생의 문제와 복잡한 인간심리에 접근하기는 참으로 어렵다고 볼수 있습니다.
처음부터 차근차근 교재를 따라 소스를 익히고 이론에 따라 연습하다보면 어느새 자기도 모르게 엄청난 실력향상을 꾀할수 있게 될 것입니다.
끝으로 본서를 통하여 여러분이 원하는 소기의 목적을 달성하기 바라며 자신의 운명에 지혜롭게 대처해 나가기를 기원합니다.

목 차

어서와!
사주독학은 처음이지

1. 사주팔자란 뭘까?

사주(四柱: 네개의 기둥)는, 자기가 태어난 년, 월, 일, 시를 음양 오행론으로 분석 조합하여 만든 네개의 기둥을 말합니다. 네개의 각 기둥은 각기 두개의 글자로 세워져 있기 때문에 모두 여덟 글자가 됩니다. 그것이 바로 자기의 사주 팔자인 것입니다.

예를 들면, 오늘 새벽 6시 10분에 출생한 남자 아이의 사주는 다음과 같습니다.

2017년 (丁酉년) 4월 (癸卯월) 12일 (戊戌일)

새벽 6 시 10분 (乙卯시) 출생 남자

태어난시	태어난일	태어난월	태어난년도	(乾 : 남자)
乙(을)	戊(무)	癸(계)	丁(정)	
卯(묘)	卯(묘)	卯(묘)	酉(유)	

이 사람은 유(酉)년 닭띠 생으로, 일, 아래에 있는 무(戊) 즉, 양토(土)가 오행중 자기의 성분이며 이렇게 표현한 것을 만세력이라고 합니다.

표로 나타내어보면 다음과 같습니다.

	시(時)	일(日)	월(月)	년(年)
	시주	일주	월주	년주
천간	乙 (시간)	戊 (일간)	癸 (월간)	丁 (년간)
지지	卯 (시지)	戌 (일지)	卯 (월지)	酉 (년지)

만세력은 표처럼 구성되어 있고 만세력은 사주를 보는데 기본이 됩니다.

만세력에서 연월일시법에 따라 각 자리와 각 궁에 불리는 이름은 사주를 배우거나 통변하는데 있어 계속 나오는 용어이므로 각 자리의 용어를 주의 깊게 파악해 놓으시길 바랍니다.

어떤 상품의 바코드를 컴퓨터에서 검색하면 그 상품에 대한 각종 정보가 다 나옵니다.

자동차는 번호판을 가지고 있고 모든 상품에는 바코드가 있어 각 개체의 정보는 그 코드안에 기록됩니다. 그럼 우리 사람의 바코드는 무엇일까요? 바로 각 개인의 생년월일과 시간이 된다고 볼수 있겠습니다.

사주팔자란 사람이 이 세상에 태어날 때 우주에서 내려받은 기(氣) 와 질(質)의 조합으로, 각 개인에 대한 생태적인 정보가 코드화 되어 기록된 것이며, 이것을 분석하고 판독하는 열쇠가 바로 동양 철학의 근본인 음양오행의 깊은 원리 속에 들어 있습니다.

따라서 사주 명리학은 음양오행을 연구하고 인간의 생태기록인 사주 팔자와 함께 시간에 따라 달라지는 운(運)의 흐름을 조합하여 결과적으로 변화하며 진행하는 인간의 생애를 살펴보는 학문이라고 할 수 있습니다.

2. 60갑자의 순환은 무엇일까요?

10천간과 12지지가 순환하는 것을 아래표처럼 60갑자라하는데 천간과 지지는 서로 연관되어 운명론, 사주팔자, 성격론 등에서 매우 중요한 역할을 합니다.

육십갑자 (六十甲子)

갑자	을축	병인	정묘	무진	기사	경오	신미	임신	계유
甲子	乙丑	丙寅	丁卯	戊辰	己巳	庚午	辛未	壬申	癸酉
갑술	을해	병자	정축	무인	기묘	경진	신사	임오	계미
甲戌	乙亥	丙子	丁丑	戊寅	己卯	庚辰	辛巳	壬午	癸未
갑신	을유	병술	정해	무자	기축	경인	신묘	임진	계사
甲申	乙酉	丙戌	丁亥	戊子	己丑	庚寅	辛卯	壬辰	癸巳
갑오	을미	병신	정유	무술	기해	경자	신축	임인	계묘
甲午	乙未	丙申	丁酉	戊戌	己亥	庚子	辛丑	壬寅	癸卯
갑진	을사	병오	정미	무신	기유	경술	신해	임자	계축
甲辰	乙巳	丙午	丁未	戊申	己酉	庚戌	辛亥	壬子	癸丑
갑인	을묘	병진	정사	무오	기미	경신	신유	임술	계해
甲寅	乙卯	丙辰	丁巳	戊午	己未	庚申	辛酉	壬戌	癸亥

예를들어, 어떤 사람의 사주와 생년월일에서 태어난 해의 천간과 지지를 확인하여 그 사람의 성격이나 운명을 파악하는 것이 가능합니다. 또한, 특정년도나 시기에 어떤 천간과 지지가 우세하게 작용하는지 파악하여, 그 해의 경제상황이나 정치적 상황등을 예측하기도 합니다.

사주 십신은 사주팔자에서 천간과 지지를 조합하여 만들어지는 열가지 운세학적 요소입니다. 각각의 십신은 운명과 인생에서 중요한 영향을 미치는데 이를 살펴보면 다음과 같습니다.

쥐(자) : 독창력과 발명력이 뛰어나며 빠른 행동력을 가진 동물의 상징입니다.

소(축) : 노력과 인내심이 뛰어나며, 끈기있고 꾸준한 노력을 통해 목표를 이루는 동물의 상징입니다.

호랑이(인) : 카리스마와 용기가 뛰어나며, 대담한 도전정신으로 목표를 향해 나아가는 동물의 상징입니다.

토끼(묘) : 예민하고 소심한 성격을 가지며, 조용하게 꾸준한 노력으로 안정적인 성장을 이루는 동물의 상징입니다.

용(진) : 자신감과 카리스마가 뛰어나며, 창의적인 아이디어를 가지고 적극적인 행동을 취하는 동물입의 상징입니다.

뱀(사) : 영리하고 교활한 성격을 가지며, 미묘한 신비주의적인 매력을 지닌 동물의 상징입니다.

말(오) : 열정과 자유로운 영혼을 지닌 동물로, 빠른 움직임과 유연한 사고력을 가지고 있는 동물의 상징입니다.

양(미) : 순박하고 상냥한 성격을 가지며, 협조와 소외가능성 있는 상황에서 다른 이들을 도우며 일을 수행해내는 동물의 상징입니다.

원숭이(신) : 똑똑하고 재치있는 성격을 가지며, 창의적인 아이디어를 구상하고 실행하는 능력이 뛰어난 동물의 상징입니다.

닭(유) : 꼼꼼하고 계획적인 성격을 가지며, 신중한 판단력과 균형감각을 지닌 동물의 상징입니다.

개(술) : 충실하고 헌신적인 성격을 가지며, 힘든 상황에서도 인내심을 발휘하는 동물의 상징입니다.

돼지(해) : 정직하고 성실한 성격을 가진 동물로, 어떤 일이든 열심히 하며 성실하게 노력합니다. 다른 이들에게 친절하고 관대하며, 인내심이 뛰어나기도 합니다. 돼지띠를 가진 사람들은 가족과 친구들에게 정이 많으며 직관력과 판단력이 뛰어나다는 특징이 있습니다. 그러나 때로 내성적인 면모를 보이기도 하며 건강과 경제적인 안정을 유지하는데 노력해야 할 필요가 있습니다.

천간은 음양이 번갈아가며 5쌍으로 이루어져 있습니다.

갑(양) : 집중력과 끈기가 강하며 냉철하고 결단력이 있습니다.

을(음) : 예민하며 감수성이 풍부하며 인내심이 강합니다.

병(양) ; 창조적이며 논리적이고 합리적인 결정을 내릴수 있습니다.

정(음) : 디테일에 꼼꼼하며 책임감이 강하며 미래에 대한 비전이 있습니다.

무(양) : 카리스마와 지도력이 있으며 자신감이 넘칩니다.

기(음) : 세심하고 인내력이 강하며 노력을 인정 받습니다.

경(양) : 타고난 리더쉽과 명석한 머리가 있습니다.

신(음) : 노력과 인내력으로 모든 것을 이루어낼수 있습니다.

임(양) : 추진력과 활력이 풍부하며 끈기와 용기가 있습니다.

계(음) : 인내심과 꾸준함이 특징이며 성실하고 책임감이 강합니다.

3. 인생의 나침반 사주의 여덟글자

	시(時)	일(日)	월(月)	년(年)
	실	화	묘	근
천간	乙 (시간)	戊 (일간)	癸 (월간)	丁 (년간)
지지	卯 (시지)	戌 (일지)	卯 (월지)	酉 (년지)

사람이 태어난 4개의 기둥을 사주라고 하는데, 이것을 태어난 연월일시의 순서대로 '근묘화실'이라고 합니다.

근은 뿌리를 말하고 묘는 줄기, 화는 꽃, 실은 열매로서 사주가 어떻게 유기적으로 연결되어 작용을 하는가를 적절하게 설명합니다.

옛날에는 태어난 년을 근이 되는 뿌리로 보아 가장 중요하게 보았습니다.

그런데 현대로 점점 넘어오면서 더 이상 조상(뿌리)이 무얼했든 중요하지 않은 세상이 되었죠.

내 능력으로 뭐든 될 수 있는 그때부터는 뿌리가 아니라 이 식물을 대표하는것 즉, 꽃의 모양을 기준으로 사주를 해석하게 되었습니다.

그래서 사주를 볼 때 중요하게 보이는 포인트가 년주에서 일주로 변경이 되었습니다.

그래서 월과 일은 나에게 주어진 환경과 나의 본질을 뜻함으로 가장 중요합니다.

그런데 이 월주와 일주만큼이나 요즘 시대에 점점 더 중요하게 부각되는 자리는 바로 시주라고 하는 사주의 마지막 기둥입니다.

시주의 마지막 기둥은 열매를 의미합니다. 그래서 노년이나 말년운을 의미하기도 하는데 이게 단순히 말년운이라서 중요한 개념이 아니라 나라는 하나의 작은 나무가 어떤 열매를 맺기 위해 지금까지 살아오면서 나무가 추구하는 인생의 가치가 이 열매에 달려 있기 때문입니다.

요즘 세상은 그 어떤 것보다 개인의 내밀한 심리, 내가 원하는 것이 가장 중요한 세상입니다.

아무리 좋은 대기업에 취업해도 내가 원하는 인생관과 맞지 않으면 과감하게 나오는 것이 오히려 더 자신의 인생을 개척하는 길이라 볼 수 있게 된 것입니다.

예전엔 개인의 심리를 무시하고 환경에 잘 맞춰가는 것이 우리가 추구해야 할 가장 중요한 덕목이었습니다.

나라는 사람이 가진 고유의 심리나 기질보다 사회적으로 내가 어떤 사람인가가 더 중요한 사회였다고 볼수 있습니다.

그러나 언젠가부터 나 자신의 삶이 중요한 시대가 되었습니다.

내 마음과 내가 원하는 삶이 우선시되는 시대라는 것입니다.

그리고 그것을 가장 깊숙하게 들여다볼 수 있는 것이 시주라는 이 마지막 기둥입니다.

제일 먼저 내가 무엇으로 태어났는가에 따라오는 심리적인 요소들이 있습니다.

사주에서는 일간이라는 이 자리가 나를 의미합니다.
크게 나를 구분해보자면 양기가 강한가 혹은 음기가 강한가로 나누어 볼 수 있습니다.
양관과 음관으로 구분을 하고 또한 목화토금수로 음양을 구분해 볼 수 있겠습니다.
구체적인 오행에 대해서는 뒤에 다시 공부하겠습니다.
명리학이 이렇게 오랜 시간 명맥을 이어온 학문일 수 있었던 이유는 사람을 위해 제일 가까이 있는 학문이기도 하지만 하나의 이론에 수많은 사람들의 끊임없는 고찰이 더해져 왔기 때문입니다.

양은 확장 음은 수축에 그 뜻이 있다고 볼수 있습니다.
양과 음은 구분이 되지만 따로 떨어진 게 아닙니다.
음은 퍼져 나가던 양을 모아서 하나로 단단하게 압축해서 다음을 위해 계승해 주어야 하는 역할을 합니다.
다음으로 계승을 잘 해주기 위해서는 모여지는 것을 더 안전하게 내실 있게 단단하게 모아가야 합니다.
만약 여행을 하게 되었을 때 필요 없는 것은 제외하고 냉철하고 신중하게 어떤 것이 여행을 하는데 반드시 필요한지 선별을 해야 하는 겁니다.

양은 그 확장에 나의 목적이 있습니다. 더 많은 자리를 점유하면서 바깥으로 점차 점차 퍼져 나가야 하는 세력입니다.

예를들면 더 높은 자리에 오르고 보다 더 많은 세력과 합쳐져야 합니다.

여행을 모두 마치고 나면 성숙의 시간을 거쳤으니 이제 세상 바깥으로 다시 나가서 활발히 활동하는 시간이 됩니다.

이런 활동의 시간에는 주도적인 담대함이 필요합니다.

양은 직위 상승과 자기만족을 추구하며 내 뜻을 펼치는 것을 목표로 동적인 활동을 하려고 하고, 음은 재물의 축적과 안정감 있는 환경, 나를 보호하는 일을 정적으로 만들어가려고 합니다.

음간은 무작정 내 세력을 불리는 것에 치중하기보다는 선별과 구분에 중심을 두게 됩니다.

이런 양관과 음관이 시주에 어떤 기운을 두고 있는가 이것에 따라서 내가 가진 생각을 어떻게 펼쳐갈 수 있는가를 확인해 볼 수 있습니다.

지지에 오는 글자들을 음양으로 한번 구분을 해볼수 있습니다.

봄, 여름인 인묘진, 사오미는 '양', 신유술, 해자축은 겨울로서 '음' 이렇게 구분을 해 볼 수 있습니다.

글자가 가진 각각의 특징으로 인사신에는 지장간이 전부 양으로 구성된 동적인 글자들이므로 양 진술 축미는 지장간이 전부 음으로 구성되어 있으며, 하는 역할도 계절을 마무리 하는 역할이니 음으로 구분해 볼 수 있습니다.

지장간에 대해서는 뒤에 따로 설명하겠습니다.

나머지 자오묘유 중에 자와 유는 음, 오화와 묘목은 화목으로 양으로 나눠 볼 수 있습니다.

이 글자들 간의 거리가 멀면 멀수록 혹은 가까우면 가까울수록 내가 지향하는 바와 성장점이 달라지게 됩니다.

그 첫 번째는 나와 같은 음양의 기운을 가진 글자들과 만났을 때입니다.

음양이 같으면 편인이나 편관, 편재처럼 치우쳐져 있는 기운 혹은 같은 오행이 거리상 더 가까우니 비겁과도 같은 오행이 됩니다.

대부분은 나와 시주에 있는 글자와 거리가 가깝게 됩니다.

이렇게 내가 시주에 있는 글자와 거리가 멀지 않다면 나는 최대한 나의 본능을 유지하고자 합니다.

본인이 좋아하는 분야 혹은 형태를 조금 더 파고 들어가서 자신만의 스타일로 만들어내는 것이 오히려 자신의 사주에 더 잘 부합한다고 볼수 있습니다.

그것이 잘 될 것인가 혹은 고비가 좀 있을 것인가는 그때그때의 세운과 대운 그리고 사주원국의 전체의 조화를 봐야 하는 것이지만 목표를 세운다면 이런 사주적인 특징을 알고 잡아야 합니다.

일간도 양인데 시지도 강한 양의 기운을 포함하고 있다면 양적 기운이 강하기 때문에 에너지의 소비가 많을 수밖에 없습니다.

확장을 위한 에너지는 또 양이라는 빠른 환경을 만나서 더 거침없이 세상을 향해 도전해야 하는 것입니다.

그게 남 보기에는 조금 무모해 보이고 어려워 보여도 내가 지향하는 삶의 과정이 됩니다.

물론 그런 과정에 탈도 생기고 고비도 있겠지만 그러나 결국은 그 시기들을 넘기면서 점점 배우면서 자신을 확립해 나가는 것입니다.

음의 음이 만나면 처음에는 남들 보기에 더딜 수가 있습니다. 눈에 확 띄는 진전이 없고 진도가 안 나가니 보기에 따라 좀 답답할 수 있습니다.

그런데 그게 음의 성질입니다. 최대한 내실을 다지면서 안정적으로 준비를 해야 내가 가진 실력을 써먹어 볼 수 있다는 겁니다.

양이 많이 시도하고 깨지면서 방향 전환을 한다면 음은 최대한 안전하고 효율성 있게 일을 진행하게 됩니다.

내 본바탕 그대로의 나로서 나의 장점과 단점을 잘 알고 그것을 얼마나 잘 활용할 수 있느냐가 주어진 열매를 잘 맺는 방법인 것입니다.

내가 가진 특성과 기질을 잘 살리는 것이 나에게 좋은 건가 혹은 주변 환경과 사람에 맞춰서 변화하며 나를 꾸준히 바꿔가는 것이 좋은 것일까에 대한 질문에 대한 정답은 우리가 가진 사주에 따라서 천차만별일 수밖에 없게 되는 것입니다.

4. 네 개의 기둥중 대들보 일간이란?

	시(時)	일(日)	월(月)	년(年)
	시주	일주	월주	년주
천간	乙 (시간)	戊 (일간)	癸 (월간)	丁 (년간)
지지	卯 (시지)	戌 (일지)	卯 (월지)	酉 (년지)

사주는 나를 기준으로 내 주변의 글자들과 어떤 관계인가를 확인해 보는 학문입니다.

그러면 당연히 여기에서 가장 중심이 되는 중요한 존재는 바로 나 즉 일간이라고 볼 수 있습니다.

일간은 나의 정체성이라고 볼수 있습니다. 월지가 방법이라면 일간은 그 자체가 나이니까 세상에 태어난 나의 목적이 될 수도 있겠습니다.

이것은 사주의 다른 궁들과 연계가 되어서 능동적인가 수동적인가 드러나는가 아닌가 온건적 형태인가 과격한 방식인가처럼 여러 가지의 모양으로 다시 구분을 해 볼 수가 있습니다.

월지는 방식, 일간은 내가 움직이는 이유를 만드는 정체성 시지는 희망 일지는 내가 욕망하는 것들 이런 식으로 촘촘하게 연결되어서 다양한 스펙트럼으로 나타나게 됩니다.

먼저 갑목을 한번 살펴보면 갑목은 시간으로 보면 이제 막 시작하는 초봄입니다.

태극으로 보면 지난 계절을 돌아와서 다시 힘있게 상승하는 지점이 갑목의 시간에 해당합니다.

겨울이 지나서 매서운 추위가 풀리는 딱 그 지점쯤의 글자가 됩니다.

그러면 이런 시간에 주어진 사명이 뭘까요?

바로 뚫고 올라오는 성질이라고 볼수 있습니다. 나에게 가해지는 모든 압박을 이겨내고 한 점으로 치고 올라오는 것이 갑목의 정체성이라고 볼수 있습니다.

그러니까 갑목들이 대체적으로 답답한 것은 좀 못 보고 있죠. 초봄에 일어나는 새싹들이 이 땅의 온도가 지금 적당한가 부드러운가 따지고 있을 수가 있나요? 주변 환경이 어찌 되었건 나는 지금 여기 드러내지 않으면 안 되는 시간이 됩니다.

그런 이유로 본의 아니게 감투를 쓰고 앞장서게 되어서 밀어주는 역할을 하는 분들이 가장 많은 것도 갑목입니다.

또한 일정 부분의 맹목성도 가지고 있습니다. 삶에 있어 무언가를 결정하는데 가장 중요한 근거는 성장과 돌파에 있다고 볼 수도 있습니다.

그러면 을목은 땅을 뚫고 올라오는 초봄을 지나서 완연한 봄에 들어선 시간입니다.

늦봄이라고도 볼 수가 있는데 여름으로 들어가는 초입이라고 생각해도 무방합니다.

갑목에서 땅을 뚫고 올라온 상태가 됩니다. 그러나 아직은 뭐가 확실한 게 없는 시기입니다.

이제 막 땅에서 뛰쳐나왔는데 무슨 정보가 있겠어요? 을목은 이제 확실하고 안정되게 이 생명을 땅 위에 정착시켜야 하는 글자입니다.

그러므로 가릴 것이 없어요. 위로도 오르고 옆으로도 확장하면서 내가 활용할 수 있는 모든 수단을 일단은 활용하게 됩니다.

을목의 정체성이 바로 성장을 포함한 생존 그 자체가 되는 것입니다.

얼마나 튼튼하게 잘 뿌리를 내리는가 그래서 주변의 수단을 활용하는 능력도 탁월하고 어디에든 뿌리를 내리면 움켜쥐고 일어서는 겁니다.

응용 능력이나 위기 대처 능력이 좋은 것도 결국은 을목이 이런 역할 때문입니다.

다음은 병화입니다. 병화는 봄을 지난 초여름이 됩니다.

가장 왕성하게 두루 퍼져 있는 공간이 구분을 해보자면 병화의 영역이라고 볼 수 있습니다.

많이 퍼져 있는 것을 보시면 알 수 있듯이 병화의 정체성은 확장입니다.

소소하게는 내가 알게 된 좋은 것들을 사람들과 공유하거나 겪은 경험이나 지식들을 나누는 공유 개념의 소극적인 확장부터 크게는 내가 가진 비전을 사람들에게 전파하거나 혹은 나 자체를 드러내고자 하는 것이 될 수 있습니다.

나에게 주어진 환경에 안주하는 게 아니라 계속적으로 영역을 확장해 나가는 범위의 확장성에도 병화의 정체성이 됩니다.

한 가지 직업에만 국한되지 않는 것, 자신을 어떤 하나의 역할로만 두려고 하지 않는 것, 경험하거나 시도해 보는 영역을 서서히 넓혀가는 것 이것이 궁극적인 병화의 방향성입니다.

여름은 세상의 모든 생명들이 존재감을 드러내는 시간이라 이제 알려가야 하는 판이 짜여진 겁니다. 모든 생명들이 가장 왕성하게 생명 활동을 하고 자신의 세력을 불려나가야 합니다.

그러니 강약 조절이 잘 안 될 수도 있고 덜렁거리면서 빠뜨리는 것들도 생길 수 있습니다.

그러나 병화는 개의치 않습니다. 이게 병화의 정체성입니다.

그리고 정화는 늦여름 가을을 눈앞에 두고 있는 글자입니다.

봄, 여름이 대음양으로 양이라면 가을과 겨울은 음에 해당합니다.

그렇기에 정화는 양과 음을 동시에 품고 있는 글자입니다.
확장하는 것이 여전히 여름을 쓰는 정화의 목표이지만 병화처럼 병화만큼 활동을 강하게 할 수는 없습니다.

따라오는 계절인 이 뒤에 가을을 생각하지 않을 수가 없습니다. 그러니 같은 화라도 병화는 오롯이 확장에 그 의미가 있다면 정화는 확장과 동시에 다시 수축까지 양쪽을 준비를 해야 합니다.

그것이 사람에 따라서 타이밍을 중요하게 생각하는 것, 유사시에 변화할 수 있는 공간적 시간적 여유를 남겨두는 것, 더 나은 선택이 없는지를 계속적으로 확인하는 것이 정화에게는 내가 가진 뜻을 펼칠 수 있는 준비에 해당하기 때문입니다.

그래서 정화 일간을 가진 사람들은 미스터리하고 잘 알수없는 분들이 많을 수밖에 없습니다.

조금 변덕스럽다거나 우유부단한 것도 이 음과 양을 동시에 품고 있다는 조건에서 나오는 특징이 됩니다.

그러나 스스로 생각했을 때 확장이냐 수축이냐 어느 방향이든 확실한 준비가 되었다 생각하면 오히려 병화보다 더 집요하고 거침없이 진행하는 것이 정화의 또 다른 특징이기도 합니다.

그래서 반전이 많다는 이야기를 듣습니다. 지금이 맞는 타이밍인가 나는 확실히 이쪽으로 마음이 정해졌는가 이것이 정화가 결정을 하는 데 있어서 중요한 밑바탕이 되겠습니다.

여름이 지나면 이제 가을로 넘어갑니다. 여름을 이제 막 지나서 들어온 초가을의 글자가 경금입니다.

초가을은 산발적으로 확장하던 생명들이 이제 확장보다 내실에 집중하는 시간입니다.

초가을은 더 많은 것을 확실하게 거둬들이는 수확에 자신이 가진 목표가 있습니다.

이제 더 이상은 나무를 심고 씨를 뿌리는 시간이 아니라 어떻게 잘 수확할 것인지를 가늠해봐야 하는 시간입니다.

제대로 된 과실을 얻기 위해서는 작거나 썩은 과일들은 아쉽지만 잘라내야 합니다.

그러니까 될것과 안 될 것을 확실히 선별하고, 될 것을 결정했다면 안 될 것은 과감하게 버려야 하는것이 경금이고 그렇게 결정했다면 뒤돌아보지 않습니다.

경금의 정체성은 대를 위한 신리 있는 취사 선택에 있습니다.

다음은 신금인데요. 신금이 왜 예민하다는 소리를 많이 듣는데 심금이 바로 시간상으로는 가을에 늦가을이기 때문입니다.

늦가을의 신금도 경금과 마찬가지로 취사 선택과 결단을 해야 하는 글자이지만 신금의 그것은 경금만큼 쉽지가 않습니다. 겨울은 가을에 수확한 것으로 한 계절을 버티면서 먹고 마시고 해야 하는 시간이기에 그런 무거운 책임을 어깨에

메고 있는것이 신금입니다. 겨울동안 저장을 해놓고 발효를 해놓고 먹을수 있는 채비를 모두 해야 합니다.

신금이 놓치는 단 하나가 겨울 자체를 어렵게 할 수도 있다는 겁니다. 그래서 신금은 어느 정도는 섬세하고 예민할 수 밖에 없습니다.

이런 것들이 세심한 예술적 감각이나 미적 센스, 주변을 더 구체적으로 느끼고 살피는 것과도 같은 능력으로 활용이 됩니다.

겨울은 임수의 시간입니다. 초겨울이 됩니다.

아직 봄이 되려면 한참이 기다려야 합니다. 긴 겨울의 초입에서는 제일 중요한 것이 어떻게 잘 버티느냐가 관건이 됩니다. 그런데 겨울이다 보니 놀러 갈 데도 마땅치 않고 해도 짧고 추워지기 시작해서 활동성도 약해집니다.

그러니 이제부터는 내적 활동성이 강해지는 시간입니다.

쉽게 말해 머리를 쓰면서 놀아야 되는 시간입니다.

우리가 아무것도 없이 누워 있다고 생각해 본다면 여러 가지 상상이나 생각이 많을 수밖에 없습니다. 그게 임수의 기본값 입니다. 그러니 보통보다 더 풍부한 상상력과 창의력을 가지고 있습니다.

사유하는 힘이 굉장히 좋은 겁니다. 그래서 임수의 정체성은 나를 알아가는 겁니다.

더 크게는 나를 포함한 내 영역의 모든 것들, 내가 속한 세상을 알아가는 것이 임수의 정체성이라고도 볼 수 있겠습니다.

다음은 계수입니다. 이제 겨울이 끝이 보이는 시간 봄을 딱 앞에 두고 있는 늦은 겨울의 시간입니다.

계수도 임수와 마찬가지로 나를 알아가고 정리해 나가는 것이 정체성이지만 임수와 다른 것들이 있습니다.

임수는 많은 정보들을 취합하니 일단은 펼쳐놓고 거기서 선별하는 느낌이라면 계수는 이제 봄을 준비해야 하니까 조금 더 압축하고 눌러서 정리도하면서 새로운 생동을 준비하는 느낌에 가깝습니다.

계수는 다가오는 봄에 지난 한 해 동안 우리가 열심히 알아왔던 것들을 넘기고 체인지하는 그 시간입니다.

누르고 눌러진 마지막 엑기스 가장 진한 농축된 에너지를 봄에 전달해 줘야 합니다.

그러니 계수는 나를 알아가는 과정과 더불어서 이것을 어떤 식으로 효용성 있게 뽑아서 활용할까 전달할까 이런 것들에 대한 고찰을 가지고 있는 일간이 됩니다.

또한 약간 체념적이고 수용적인 방향성도 가지게 됩니다.

그러니까 애늙은이 같은 사람들이 많습니다.

결국 돌고 도는 세상 흉도 길이 되고 길도 흉이 된다는
세상이 순환의 에너지로 돌아간다는 것을 계수인 나 자체가 품은 채로 이해하고 있는 겁니다.

토는 이 모든 계절에 중간중간을 이어주는 간절기 같은 시간에 해당합니다.
이것도 무토와 기토의 시간이 미묘하게 구분이 되는데
무토는 받는 것에 의미가 있어요. 여름이면 여름, 가을이면 가을 그 계절을 그대로 계승하게 됩니다.
그런데 한 계절이 아니라 모든 계절을 수용해야 하므로
중립적인 스탠스가 필요합니다.
그리고 그전의 계절을 그대로 지켜주려는 보호 본능이 필요합니다. 이 모든 것들이 무토의 정체성이 되는 거죠. 편견 없이 내 주변의 사람과 상황을 받아들이고 그것을 왜곡 없이 있는 그대로 들여다보고 최종적으로는 이것을 지키는 겁니다.
그래서 무토는 변화를 추구하는 사람들보다 평화로운 고요함을 선호하는 분들이 많고 변화한다면 또 거기에 서서 산처럼 적응해 갑니다.

마지막은 기토입니다. 같은 토 오행이기 때문에 중립적인 자세를 취하고 수용하는 역할까지는 비슷하지만 무토는 그전의 계절을 계승하는 데 의미가 있다면 기토는 다음 계절로 그전에 계절이 남긴 것을 넘겨주는 데 더 큰 의미가 있습니다.
물상으로 산과 밭입니다.
기토는 전환의 힘이 강합니다. 필요한 것을 찾아내고 그때

그때 바꿔가면서 가장 합리적이고 실효에 맞는 선택을 하고자 합니다. 땅의 상태와 계절의 흐름에 맞춰서 그때그때 바꿔주는 작물 종류가 됩니다.

그래서 흐름에 따라서 입장의 전환도 빠른 편이고 조금 더 실용적인 것, 조금 더 합리적인 것을 추구하는 성향입니다.

그래서 기토의 결정은 자신이 생각하는 가장 합리적이고 실용적인 방향성을 따라가는 경우가 많습니다.

어느 정도는 즉흥적인 면모도 가지고 있다고 볼 수 있습니다.

5. 인생의 전반인 흐름과 활동력은 월지가 결정

	시(時)	일(日)	월(月)	년(年)
	시주	일주	월주	년주
천간	乙 (시간)	戊 (일간)	癸 (월간)	丁 (년간)
지지	卯 (시지)	戌 (일지)	卯 (월지)	酉 (년지)

사주 팔자는 총 8개로 구성되어 있고 그래서 팔자라고 부르고 있습니다.

당연히 이 8개의 자리가 전부 똑같은 역할을 하지는 않습니다. 이 각각의 자리가 사람들에게 어떤 영향을 미치는가를 사주 용어로는 '궁성론'이라고 합니다.

년지는 수용궁이라고 해서 내가 어떤식으로 받아들이는가 또는 배우는가를 확인해 볼 수 있는 자리가 됩니다.

년간은 통제궁이라는 자리로 내가 가진 첫 이미지 원초적이고 동물적인 분위기를 읽어볼 수 있는 자리입니다.

월간은 표현궁, 일지는 욕망궁, 시간은 종교궁, 시지는 희망궁 이런식으로 각각의 궁들이 가진 저마다의 역할이 있습니다.

모든 궁들 중에서 사람의 가치관에 가장 지대한 영향을 미치는 궁은 월지인 '사회궁'입니다. 사회궁은 정관궁 혹은 관살궁이라고도 합니다.

관살은 1차원적으로 사회에서의 나의 직위와 계급을 의미합니다.

그래서 월지의 사회궁은 그 사람의 생활관이나 가치관처럼 이 사람이 세상을 사는 방식에 가장 커다란 영향을 주는 자리입니다.

내가 세상을 어떻게 느끼는가 또 어떻게 살고자 하는가 어떤직업으로 살기를 바라는가등이 바로 여기 사회궁이라는 자리에서 확인이 가능한 겁니다.

물론 이것도 어떤 오행인가 그리고 나라는 일간은 무엇으로 태어났는가에 따라서 더욱 더 다양한 해석들로 나올 수 있지만 이해하기 쉽게 십신의 예로 한번 풀이해 봅니다.

십신의 구체적 내용은 뒤에서 자세히 설명 합니다.

사회궁이 식신인 사람은 긴장 풀고 누워서 편안하고 느긋하게 즐기는 것이 인생의 기본값으로 설정이 된 사람들입니다.

아둥바둥하지 않고 순리에 따르려는 것이 식신을 사회궁에 가진 사람들입니다.

왜냐하면 이분들에게는 때 되면 쉽게 쉽게 떨어지는 것들이 기본으로 내재되어 있습니다.

사회궁에 상관을 두신 분들의 기본값은 '다 갈아엎자' 입니다.

이 세상에 부조리와 억압받는 소수들, 비합리적인 경제 구조부터 시작을 해서 작게는 회사에서 주는 보너스 형태나

업무 구조등 진짜 마음에 안 드는 것, 바꿔야 할 것들이 눈에 잘 들어옵니다.

그래서 오지랖도 조금 넓고 때때로 필요 이상으로 망가지거나 감정 이입을 해서 삶을 드라마틱하게 만드는 분들이 상관입니다.

많은 것들을 느끼니까 순간순간에 대처 능력이나 판단 능력이 또 빠르기도 합니다.

정제의 기본값은 준비되면 하는 스타일입니다.

자신의 영역이 제일 중요한 십성입니다. 그 이유는 바로 안전 제일을 꿈꾸는 정제의 특성 때문입니다.

이런 자신이 생각하는 울타리를 잘 유지하는 것이 매우 중요합니다.

편재의 기본값은 '인생 뭐 있냐? 즐기면서 살자' 가 됩니다.

잘 즐기려면 이걸 누릴 만한 배짱과 능력도 있어야 하겠죠.

그래서 근자감이 제일 강한 십성 중에 하나가 또 편재에 해당합니다.

내 눈에는 이거 어떻게 하면 될지 안 될지 다 보이는 거죠.

그러니 내가 못할 게 이 세상에 없다는 마음도 생깁니다.
일이나 인간관계, 하다못해 인생을 즐기는 것도 안 하면 안 했지 할 거면 폼나게 제대로 하려고 합니다.

지루하고 재미없는 것, 배울 게 없는 것이 편재가 제일 혐오하는 것들입니다. 그래서 가성비를 매우 중요하게 생각합니다. 이왕 주어진 거면 전부 먹어보고 써보고 사봐야 하는 것도 편재의 특징이 되겠습니다.

정관은 한마디로 '예, 알겠습니다' 입니다. 정관은 순응과 받아들임의 아이콘입니다.

규칙이 주어졌다면 그건 따를려고 하고 거기에 의문을 갖거나 바꾸려고 들기보다는 받아들이고 따라갑니다.

협조와 평화를 숭배하는 친구들이기 때문에 마찰이나 갈등을 일으키는 것을 제일 불편해 합니다.

매뉴얼이나 규칙이 있어야 자신의 능력을 잘 드러낼 수 있는것도 정관의 성향입니다.

편관은 모든 십성 중에 나를 가장 괴롭히고 힘들게 하는 친구입니다. 편관은 칠살입니다. 나를 죽이러 왔다는 의미도 있습니다.

그러니 월지의 편관은 세상이 일단은 나에게 호락호락하지 않은 시험장이 됩니다.

편한 곳도 아니고 매일이 시험이고 내가 이겨내야 하는 미션들로 세상을 투쟁의 장으로 인식을 하게 됩니다.

나에게 맞장 떠서 이길 힘이 있다면 다스리는 거고, 그럴 힘이 없다면 일찌감치 다스려지게 됩니다.

완벽한 복종이냐 혹은 굴림하느냐 이런 양극에 매우 차이 나는 삶의 방향성으로 보여질 수 있습니다.
이것은 운에 따라서 환경에 따라서 변화하게 됩니다.

정인은 한마디로 '네가 이러고도 나를 인정 안해?' 이런식입니다.
정의는 타인의 인정을 위해서 나에게 필요한 것들을 쌓아간다고 봐도 무방할 정도로 남들에게 보여지는 나의 이미지나 모습이 중요합니다.
그러니까 지적 욕구도 강하게 됩니다. 사람을 평가하는 가장 중요한 가치 중에 하나가 그 사람 학교나 지위등 그걸 기준으로 그 사람을 보는 눈이 달라집니다.
혹은 그 사람이 얼마나 박식하냐 이런 것도 될 수 있겠죠.
기본적으로 배움에 대한 욕구도 강하지만 그것을 부추기는 것 또한 정인이라는 십성의 특징이 됩니다.
삶의 주된 목적이 서로 주고받는 관계성에 있기도 합니다.

편인은 한마디로 '상관 안 해' 입니다. 남들이 어떻게 살든 뭐 별 상관없습니다.
내가 관심 있는 거, 내가 좋아하는 것만 옆에 있으면 됩니다. 편향적이기도 하고 외골수의 기질도 있습니다. 내가 좋아하는 것이 특정 학문이라면 그 분야에 따라올 수 없는 전문가가 되는 것도 편인이고, 좋아하는 것이 특정 사람이라면 그 사람으로만 이어지는 깊은 관심과 편애가 될 수 있는 겁니다.

삶의 방식이 그러니까 좀 남다르고 독특해 보이는 분들도 많이 있습니다.

자신만의 세상이 아주 뚜렷하고 개성도 있습니다.

겁재는 성장하지 않는 삶은 가치 없다고 생각합니다.

나에게 가장 강한 영향력을 주는 자리에 일간에게 힘을 실어주는 존재가 떡하니 들어가 있으니 기본적으로 에너지가 좋은 겁니다.

넘치는 에너지를 가지고 뭐라도 건설적인 것, 성장하는 방향을 지향합니다.

특히나 겁재는 경쟁심이나 승부 근성을 만들어내는 친구인데 겁재가 내 사회궁에 들어가 있으니 이왕 태어난 인생 경쟁해서 이기고 승리하려는 근성이 강하게 됩니다.

그래서 자기 주장이 가장 강합니다.

타인의 약함을 그대로 존중하기보다 그럴 거면 더 노력해야지 이런 마인드 값을 가지게 되기도 합니다.

자존심이나 고집이 강한 것도 겁재 월지의 특징이 됩니다.

비견은 동격인데 '너와 나는 다르지 않다'라는 주의입니다.
현대의 평등주의 사상에 가장 가까운 친구들이 비견입니다.

모든 사람은 동일한 가치를 가지고 있고 균등한 기회를 가져야 하며, 우리 사이에는 계급이 없다고 설정하고 세상을 살아가고자 하는 겁니다.

겁재가 노력에 의해 결과가 달라야지를 외친다면 비견은 그 전에 균등하게 기회가 주어져야지, 혹은 계급에 상관없이 노력한 만큼 나눠줘야지 이런 가치관을 가지고 있습니다.

비견 앞에서는 모두가 평등해 집니다. 그러니 사람들이 편하기도 합니다.

그러니 나는 태어난 나대로 삽니다. 남들 눈치 보거나 조건 봐가며 살살 나를 바꾸는 게 아니라 원래 타고난 성향대로 자연스럽게 사는 겁니다.

직장 상사 앞에서 교수 앞에서든 나는 그냥 나인 것입니다.

또한 사회가 나에게 원하는 것이 내가 원하는 것과 이어집니다.

사회를 살기 위해 내가 나를 크게 벗어날 필요가 없다는 뜻도 됩니다.

6. 병존 사주로 특징을 쉽게 보자!

사주 원국을 보았을 때, 천간 혹은 지지에 같은 글자가 나란히 있는 모습을 '병존(竝存)'이라 하며 '자형살(自刑殺)'이라고도 합니다. 단순히 살이라고 해서 나쁜 것은 아니므로 각각의 특징에 대해서 알아보겠습니다.

* 천간 병존에 대해 알아보겠습니다.

갑갑(甲甲) 병존 : 부모, 본인 시기의 조실부모의 가능성, 경쟁적인 환경.

을을(乙乙) 병존 : 외롭고 고독함, 인덕 부족의 가능성.

병병(丙丙) 병존 : 역마의 기운으로 일찍 고향을 떠날 수도 있는 환경.

정정(丁丁) 병존 : 작은 불끼리의 모임, 큰 도움이 되지 않기에 외로움과 고독의 환경, 인덕 부족의 가능성.

무무(戊戊) 병존 : 넓은 땅을 의미, 역마의 기운으로 범위가 넓은 역마, 해외와의 인연 및 이민, 외교 분야에서 두각.

기기(己己) 병존 : 작은 땅, 주로 한 지역에 정착하는 경향.

경경(庚庚) 병존 : 국내 역마라 하며 국내에서 활동성, 적극성 있는 직업이 알맞습니다.

신신(辛辛) 병존 : 어려운 일을 겪을 것을 암시합니다. 특히 사고 및 수술수를 주의해야 함.

임임(壬壬) 병존 : 천간의 임임 병존은 ′도화살(桃花煞)′의 역할을 합니다. 도화살의 장점을 살릴 수 있는 자기 자신을 표현하고 드러내는 분야에서 장점을 발휘할 수 있습니다. 혹은 물과 관련된 직업에 종사할 수 있음.

계계(癸癸) 병존 : 천간의 임임 병존과 같다. 다만 스케일이 임임 병존에 비해 작을 수는 있습니다.

* 지지병존에 대해 알아보겠습니다.

자자(子子) 병존 : 도화의 기운, 역시 도화살의 장점을 발휘할 수 있지만 건강에 유의해야 합니다.

축축(丑丑) 병존 : 침착하고 차분하지만 고집이 매우 셉니다.

인인(寅寅) 병존 : 활동적이며 적극성을 띠는 직업이 알맞습니다. 그러나 작은 수술수가 있을 수 있습니다.

묘묘(卯卯) 병존 : 객지 생활의 가능성 혹은 잔병치레 및 일의 막힘을 의미합니다.

진진(辰辰) 병존 : 주로 생명을 다루는 직업이 좋습니다. 피부병에 주의해야 합니다.

사사(巳巳) 병존 : 활동적이며 적극성을 띠는 직업이 알맞다. 평소 건강관리에 주의해야 합니다.

오오(午午) 병존 : 도화의 기운, 인기를 바탕으로 하는 직업에 장점을 보일 수 있으며, 한번 정도의 큰 수술수가 있습니다.

미미(未未) 병존 : 주로 생명을 다루는 직업이 좋습니다. 어렵고 힘든 일을 겪을 가능성이 있습니다.

신신(申申) 병존 : 활동적이며 적극성을 띠는 직업이 좋습니다. 간혹 발생할 수 있는 사고에 주의해야 합니다.

유유(酉酉) 병존 : 주로 생명을 다루는 직업이나 도화의 기운을 살려 인기를 바탕으로 하는 직업이 알맞습니다. 그러나 간간이 발생할 수 있는 각종 구설 및 시비에 주의해야 합니다.

술술(戌戌) 병존 : 규모가 큰 해외 역마, 유학이나 이민이 좋을 수 있습니다. 외교 및 무역 계통 직업 역시 어울립니다.

해해(亥亥) 병존 : 주로 생명을 다루는 직업이 좋을 수 있고 활동 범위가 넓은 직업도 좋습니다.

추가적으로 병존은 2개의 글자가 나란히 붙어있어야 성립합니다. 떨어져 있는 경우는 성립 불가이며, 언급한 병존의 내용을 보면 단점이 많게 보일 수 있지만 병존이라는 것 자체가 보통 타인의 관심을 끄는 매력적인 부분을 잘 발휘할 수 있는 힘이 있다고 보면 됩니다.

천간 병존의 경우 보통 겉으로 드러나는 외적인 부분의 매력을, 지지 병존의 경우 주로 성격적인 매력과 관련이 많습니다. 그래서 주로 연예인들이 병존의 사주를 가지고 있는 경우가 많으며 이는 대인관계 및 사회적으로 굉장한 장점이 될 수 있다고 봅니다.

더불어 2개의 글자가 아닌 3개(삼존이라 함) 혹은 많지는 않지만 4글자 모두가 병존의 형태로 나타나는 경우가 있는데 이런 경우 4개의 글자의 경우는 병존에서의 장점이 많이 감소한다고 보면 됩니다.

7. 음양오행을 통해 사주의 기초를 다지자!

* 음양오행 도식

	오행의 음양				
	목	화	토	금	수
양			양		
	소양	태양		소음	태음
음			음		

* 오행의 음양구분

′오행′을 음/양으로 나누어보면, 목/화 기운이 양의 운동, 금/수 기운이 음의 운동을 띕니다. 그중에서도 화와 수는 그 기운이 비교적 크고, 목/금은 그 기운이 비교적 작습니다. 토는 음양 기운을 중계 전환 작용합니다.

목/화/토/금/수는 다시 한번 각각 음양으로 구분 가능한데, 아래와 같이 천간으로 구분하고 표현되는 물상으로 나타납니다.

목의 양 '甲' : 거목, 큰 나무, 줄기
(두꺼운 땅을 뚫고 치솟고 올라가는 기운)
목의 음 '乙' : 덤불, 작은 나무, 가지, 잎
(약한 곳을 찾아 구부러지고 펴지며 올라가는 기운)
화의 양 '丙' : 태양, 직사광선, 빛
(멀리 직선적으로 솟구치며 발산하는 기운)
화의 음 '丁' : 촛불, 폭발, 열
(사방으로 치열하게 발산하는 기운)
토의 양 '戊' : 큰 산, 대지
(전체적으로 잘 발산된 에너지가 펼쳐지는 기운)
토의 음 '己' : 논, 밭, 정원
(외부적 발산이 마무리되어 내부적으로 에너지를 머금은 기운)
금의 양 '庚' : 돌산, 큰 바위, 개발대상
(구분하여 수렴/응축하고, 결실을 맺는 기운)
금의 음 '辛' : 돌멩이, 보석, 완성품
(구분된 것을 분리시키고 떨어트리는 기운)
수의 양 '壬' : 바다, 큰 강, 용도가 무궁무진한 물
(무엇이든 모으고 잘 가두는 기운)
수의 음 '癸' : 물길, 시냇물, 용도가 정해진 물
(외부적 압력에 의해 밖으로 삐져나오는 기운)

* 오행의 의미

목(木) : 굵고 곧은 것, 뻗어 나가려는 의지, 의욕, 성장, 명예 등을 상징합니다.

화(火) : 타오르고 솟아오르는 열정, 정열, 자신감 등을 상징합니다.

토(土) : 만물을 중재하고 포용하며 중용, 안식, 고집, 끈기 등을 상징합니다.

금(金) : 안으로 강하게 다지는 의지, 절제, 단단함 등을 상징합니다.

수(水) : 땅 속에 스며들어 계속 흘러가는 것처럼 생각, 지혜, 욕망, 본능 등을 상징합니다.

* 오행의 구체적 특징

1) 목(木) : 봄 / 아침 / 동쪽 / 청색 / 신맛 / 3 8 / ㄱ ㅋ / 따뜻함
기본 성격 : 착하고 어진 성향입니다.
많을 때 장점 : 명예 지향적 성향입니다.
많을 때 단점 : 자기 의견을 굽히려 하지 않습니다.

2) 화(火) : 여름 / 낮 / 남 / 적색 / 쓴맛 / 2 7 / ㄴ ㄷ ㅌ ㄹ / 뜨거움
기본 성격 : 예의 바르고 적극적입니다.
많을 때 장점 : 의사표현이 명확합니다.
많을 때 단점 : 다혈질입니다.

3) 토(土) : 환절기 / 사이 / 중앙 / 황색 / 단맛 / 5 10 / ㅇ ㅎ / 변화함
기본 성격 : 믿음직스럽고 끈기가 있습니다.
많을 때 장점 : 끈기가 있습니다.
많을 때 단점 : 고집이 셉니다.

4) 금(金) : 가을 / 저녁 / 서 / 백색 / 매운맛 / 4 9 / ㅅ ㅈ ㅊ / 서늘함
기본 성격 : 의리가 있고 절제력이 있습니다.
많을 때 장점 : 비판정신이 강해 시시비비를 잘 가립니다.
많을 때 단점 : 잔소리와 불평불만이 심합니다.

5) 수(水) : 겨울 / 밤 / 북 / 흑색 / 짠맛 / 1 6 / ㅁ ㅂ ㅍ / 차가움

기본 성격 : 총명하고 지혜롭습니다.

많을 때 장점 : 타인에 대한 배려가 깊습니다.

많을 때 단점 : 쓸데없는 생각이 많습니다.

8. 오행의 작용과 반작용은 무엇인가?

사주명리학은 음양오행의 생극 제화(生剋制化)의 원리에 바탕을 둡니다. 생(生)은 말 그대로 낳는다, 도와준다는 의미이고, 극(剋)은 자극하고 억누른다는 의미입니다. 제(制)는 극과 비슷하지만 적절하게 극이 되어 통제하는 것이고, 화(化)는 일반적인 이론이 변화하는 것입니다.

오행은 끊임없이 서로 생하거나 생을 받고, 극하거나 극을 받으며 상호작용을 합니다. 고급이론이나 어려운 이론에 의지하기보다는 생극 작용과 같은 음양오행의 기본적인 이론을 튼튼하게 다지시길 바랍니다.

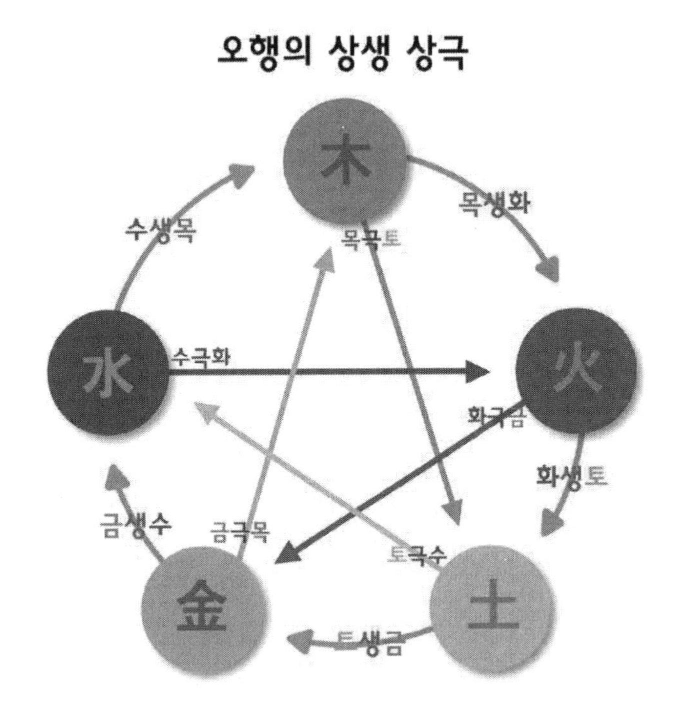

* 오행의 상생

오행은 서로 생하면서 순환합니다. 나무는 불을 생하고, 불은 흙을 생하고, 흙은 쇠나 바위를 생하고, 쇠나 바위는 물을 생합니다. 상생(相生)은 이처럼 오행의 5가지 기운이 서로 생한다는 의미입니다.
목생화(木生火) - 화생토(火生土) - 토생금(土生金) - 금생수(金生水) - 수생목(水生木)으로 이어지면서 목(木)에서 시작한 생이 다시 목(木)으로 돌아오는데, 이처럼 서로가 생으로 연결되어 있으므로 상생이라고 합니다.

목생화(木生火) : 나무는 자신을 태워 불을 살립니다.
화생토(火生土) : 불이 다 타면 재가 되어 흙으로 돌아갑니다.
토생금(土生金) : 흙 속에서 바위와 금속이 생산됩니다.
금생수(金生水) : 바위 속에서 물이 나옵니다.
수생목(水生木) : 물은 나무에게 수분을 주어 자라게 합니다.

* 오행의 상극

오행은 서로 생하기도 하지만 서로 극하기도 합니다. 나무는 흙을 붙잡아주고, 흙은 물을 가두고, 물은 불을 꺼뜨리고, 불은 금속을 녹이고, 금속은 나무를 자르지요. 상극(相

克)은 오행의 5가지 기운이 서로 극한다는 의미로 목극토(木剋土) - 토극수(土剋水) - 수극화(水剋火) - 화극금(火剋金) - 금극목(金剋木)으로 이어지면서 목(木)에서 시작한 극이 다시 목(木)으로 돌아오는데, 이처럼 서로가 극으로 연결되어 있으므로 상극이라고 합니다.

목극토(木剋土) : 나무는 뿌리로 흙을 붙잡아줍니다.
토극수(土剋水) : 흙은 둑이 되어 물을 가두어줍니다.
수극화(水剋火) : 물은 불을 꺼뜨립니다.
화극금(火剋金) : 불은 쇠를 녹입니다.
금극목(金剋木) : 쇠는 나무를 자릅니다.

* 상생과 상극의 응용

목(木)
목을 생하는 오행은 - 수(水)
목이 생하는 오행은 - 화(火)
목이 극하는 오행은 - 토(土)
목을 극하는 오행은 - 금(金)

화(火)
화를 생하는 오행은 - 목(木)
화가 생하는 오행은 - 토(土)
화가 극하는 오행은 - 금(金)
화를 극하는 오행은 - 수(水)

토(土)
토를 생하는 오행은 - 화(火)
토가 생하는 오행은 - 금(金)
토가 극하는 오행은 - 수(水)
토를 극하는 오행은 - 목(木)

금(金)
금을 생하는 오행은 - 토(土)
금이 생하는 오행은 - 수(水)
금이 극하는 오행은 - 목(木)
금을 극하는 오행은 - 화(火)

수(水)
수를 생하는 오행은 - 금(金)
수가 생하는 오행은 - 목(木)
수가 극하는 오행은 - 화(火)
수를 극하는 오행은 - 토(土)

이와 같이 오행은 서로 생하거나 극하고, 합하거나 충하는 등 다양하고 복잡한 관계를 맺으면서 공존합니다. 생과 합이라 하여 항상 좋은 것은 아니고 극과 충한다 하여 항상 나쁜 것은 아닙니다. 상황에 따라 좋을 수도 있고 나쁠 수도 있습니다.

일반적으로 생작용을 긍정적으로 생각하기는 하지만, 지나친 생작용은 오히려 사주의 조화를 깨뜨릴 수 있습니다. 극작용 역시 마찬가지이고. 적절한 극작용은 사주에서 음양오행이 조화를 이루도록 되려 도와주기도 합니다.

* 상생의 반작용

목다화멸(木多火滅) : 나무가 너무 많으면 불이 꺼집니다.
화다토조(火多土燥) : 불이 너무 강하면 흙이 메마릅니다.
토다금맥(土多金埋) : 흙이 너무 많으면 금이 묻혀버립니다.
금다수탁(金多水濁) : 바위가 너무 많으면 물이 흐려집니다.
수다목부(水多木浮) : 물이 너무 많으면 나무가 썩어 물 위에 뜹니다.

* 상극의 반작용

토다목절(土多木折) : 나무가 흙을 붙잡아주지만, 흙이 너무 많으면 나무가 흙에 꺾여버립니다.
수다토류(水多土流) : 흙이 물을 가두어두지만, 물이 많으면 둑이 무너집니다.
화다수패(火多水敗) : 물이 불을 꺼뜨리지만, 불이 너무 강하면 오히려 물이 증발합니다.
금다화멸(金多火滅) : 불이 쇠를 녹이지만, 약한 불은 큰 쇳덩이를 녹이지 못하고 꺼져버립니다.
목다금결(木多金缺) : 쇠가 나무를 자르지만, 작은 칼은 커다란 나무숲을 자르려다 부러집니다.

9. 사주분석의 초석 만세력의 구성

	시(時)	일(日)	월(月)	년(年)
	시주	일주	월주	년주
천간	丁 (시간)	己 (일간)	庚 (월간)	丙 (년간)
지지	卯 (시지)	未 (일지)	子 (월지)	午 (년지)

만세력은 표처럼 구성되어 있고 만세력은 사주를 보는데 기본이 됩니다.

만세력에서 연월일시법에 따라 각 자리와 각 궁에 불리는 이름은 사주를 배우거나 통변하는데 있어 계속 나오는 용어이므로 각 자리의 용어를 주의깊게 파악해 놓으시길 바랍니다.

* 만세력의 오행 파악하기

사주팔자 여덟 글자에 대한 오행은 다음과 같이 구별합니다.

庚	경금	丙	병화	戊	무토	庚	경금
寅	인목 절	午	오화 제왕	寅	인목 장생	午	오화 목욕

천간(사주팔자의 위쪽 글자 4개)
갑, 을(목) 병, 정(화) 무, 기(토) 경, 신(금) 임, 계(수)
위 그림을 예로 들면, 왼쪽부터 천간이 경-병-무-경입니다.
경은 금, 병은 화, 무는 토이므로 금2 화1 토1이 됩니다.

지지(사주팔자의 아래쪽 글자 4개)

庚	경금	丙	병화	戊	무토	庚	경금
寅	인목 절	午	오화 제왕	寅	인목 장생	午	오화 목욕

인, 묘(목) 사, 오(화) 진, 술, 축, 미(토) 신, 유(금) 해, 자(수)
윗지지를 예로 들면, 왼쪽부터 지지가 인-오-인-오입니다.
인은 목, 오는 화이므로 목2, 화2가 됩니다.

그러므로 천간의 오행인 금2 화1 토1 + 지지 오행 목2, 화2
이렇게해서 총 목2, 화3, 토1, 금2, 수0 이 됩니다.

사주팔자의 각 글자에 해당하는 오행이 각각 몇 개인지 많은 오행과 부족한 오행을 적어두고, 이제 일간의 오행을 파악해보도록 하겠습니다.

* 일간의 오행 확인하기

자신이 어떤 오행에 속하는지 알려면, 사주팔자 중에서도 일간을 주로 살펴봐야 합니다. 아래 작성한 사주 오행 분석도 일간의 오행을 중심으로 보시면 됩니다.
사주팔자의 다른 글자들도 오행을 따질 수 있지만, 일간은 사주팔자 자리 중에서도 자기 자신을 나타내기 때문입니다.
일간보는 법은 지난 글에서 소개해드렸지만 잠시 다시 설명드리자면, 왼쪽에서 두 번째 줄에 있는 두 글자가 일주입니다.

庚	경금	丙	병화	戊	무토	庚	경금
寅	인목 절	午	오화 제왕	寅	인목 장생	午	오화 목욕

일주(위가 일간. 아래가 일지)
위 만세력은 일간이 병이니까 오행 중에서 '화'에 해당합니다.

* 사주 오행 분석

사주 오행 보는법을 아셨다면 이제 자신의 일간에 해당하는 각 오행의 분석을 확인하시면 됩니다.

1) 사주 오행 목

계절 : 봄
정기 : 풍
방위 : 동
성정 : 인
기질 : 노
색깔 : 청
속성 : 초년, 생명력, 발산

오행 목은 태양계에서 가장 큰 행성인 목성을 상징합니다. 또한 봄에 새싹이 뚫고 올라와 나무가 되듯, 배우고 자라나는 희망적인 초년기를 뜻합니다.
목은 번식해서 불어나는 속성이 있는데, 이는 인간의 다섯가지 성정 중 하나인 인(仁, 인자한 마음)에 해당합니다.
따라서 목의 기운이 많은 사람은 강직하고 어진 성정을 가졌습니다. 하지만 감정의 균형이 깨지면 분노에 쉽게 휘둘립니다.

2) 사주 오행 화

계절 : 여름
정기 : 서
방위 : 남
성정 : 예
기질 : 희
색깔 : 적
속성 : 청년, 활동적, 발산

오행 화는 태양계에서 지구와 가장 가까운 화성을 상징합니다. 화는 양의 성질이 가장 많은 오행이기 때문에 양 중의 양이며, 만물이 자라는 번성기와 청년기를 나타냅니다.
불은 겉이 밝고 속이 어두워, 이를 통해 분별력과 실천력을 가지며 예(禮, 사양하는 마음)에 해당합니다.
따라서 화의 기운이 많은 사람은 총명하고 예의가 바른 성정을 가졌습니다. 하지만 화 기운이 지나치게 많거나 부족하면 기쁨과 슬픔의 조절이 어렵습니다.

3) 사주 오행 토

계절 : 변절기
정기 : 습
방위 : 중앙
성정 : 신
기질 : 사
색깔 : 황

속성 : 중재, 정착

오행 토는 토성을 상징하며, 습기를 품어 만물을 태어나게 하고 키워내는 땅의 주인입니다.
다른 오행이 각 계절을 주관하는 것과 달리, 사계절을 18일씩 주관하며 중재하는 환절기에 해당합니다. 사주 오행 분석 중에서 독특한 오행입니다.
토는 인간의 5가지 성정 중에서 신(信, 믿음과 덕망)에 해당하고, 색 또한 흙을 나타내는 황색입니다.
따라서 토의 기운이 많은 사람은 믿음직하고, 신중하며 중용을 중요시합니다. 하지만 기질상 생각을 많이 하기 때문에, 감정의 균형이 깨지면 너무 생각이 많아집니다.

4) 사주 오행 금

계절 : 가을
정기 : 조
방위 : 서
성정 : 의
기질 : 우
색깔 : 백
속성 : 장년, 결실, 수렴

오행 금은 태양계의 샛별 금성을 상징합니다. 양의 기운이 멈추고, 소멸하기 시작하는 음기의 시작입니다. 계절로는 가을에 해당하여 만물의 성장이 멈춥니다.
따라서 정기는 건조함을 뜻하는 조에 해당하고, 방위는 해가 지는 서쪽입니다. 사람으로 보면 버릴 것과 저장할 것을 선택하는 장년기입니다.
금은 의(義, 옳고 정당함)에 해당하므로 의미와 명예를 중요시합니다. 의로운 일에 용감하고 위엄이 있으며 금속과 같이 강직합니다.
금의 기운이 많은 사람은 맺고 끊는 것을 잘하고, 결단력이 있습니다. 하지만 금 기운이 지나치게 많거나 부족하면 쉽게 슬퍼하여 우울증에 걸리기 쉽습니다.

5) 사주 오행 수

계절 : 겨울
정기 : 한
방위 : 북
성정 : 지
기질 : 공
색깔 : 흑
속성 : 노년, 저장, 수렴

오행 수는 수성에 해당하며, 음의 기운이 가장 많은 음 중의 음입니다. 의외로 만물의 생성과 시작을 의미합니다.
왜냐하면 목이 봄에 만물이 생성하기 위해서 꼭 필요한 것이 수이기 때문입니다. 이 때문에 오행의 시작을 목이 아니라 수로 보는 관점도 존재합니다.
수는 깊은 물의 색인 검은색에 해당하며, 계절은 겨울이고 정기는 추운 겨울과 같은 한입니다. 사람으로 보면 노년기에 해당합니다.
수는 지(智, 지혜로움)에 해당하므로 생각이 깊고, 치밀합니다. 하지만 수의 기운이 지나치게 많거나 부족하면 불안에 시달리거나 비관적으로 되기 쉽습니다.

10. 만세력의 위는 하늘 아래는 땅 '천간지지'

* 천간 분류표

천간	甲	乙	丙	丁	戊	己	庚	辛	壬	癸
음양	+	-	+	-	+	-	+	-	+	-
오행	木		火		土		金		土	
계절	春		夏		中		秋		冬	
방위	東		南		中央		西		北	
색상	靑		赤		黃		白		黑	
의미	仁		禮		信		義		智	

* 지지 분류표

지지	동물	천간	계절	방위	음양	월	인체
子	쥐	癸	冬	北	+	11	머리
丑	소	己			-	12	비장
寅	범	甲	春	東	+	1	사지
卯	토끼	乙			-	2	신경
辰	용	戊			+	3	생식기
巳	뱀	丙	夏	南	-	4	심장
午	말	丁			+	5	정신
未	양	己			-	6	다리
申	원숭이	庚	秋	西	+	7	대장
酉	닭	辛			-	8	폐
戌	개	戊			+	9	뼈
亥	돼지	壬	冬	北	-	10	신장

* 오행의 천간지지 분화

음양이 있고 이로 인하여 오행이 생겨난 것이니 오행의 가운데에는 각각의 음양이 있는 것입니다.

*오행이 분화하여 10개의 천간이 되고 다시 10개의

천간이 12개의 지지로 분화됩니다.

*음양이 하루를 의미하고 오행이 사계절을 의미했다면 천간과 지지는 하루 12시간과 1년 사계절의 12달을 의미합니다.

*음양과 오행 그리고 천간과 지지의 분화과정을 하나로 연결해서 분석하고 연구하여 개념을 정확히 정리 해야만 기본을 바로 세우는 공부가 됩니다.

* 오행의 분화

오행	木	火	土	金	水
천간	甲 乙	丙 丁	戊 己	庚 辛	壬 癸
지지	寅 卯	巳 午	辰戌 丑未	申 酉	亥 子

* 천간과 지지의 분류

1) 천간의 분류

* 하늘 천(天)과 방패 간(干)이라는 의미로 하늘에 기운을 뜻하고 사람의 정신적인 면이나 의지를 상징합니다.

* 천간은 하늘에서 흐르는 오행의 기운으로 양(陽)에 속하며 지지는 사계절이 순행하는 순서로서 형체(形體)가 있고 음(陰)에 속하며 이 땅에 존재하는 모든 물질을 다 포함하고 있습니다.

* 천간과 지지는 서로 떼려야 뗄 수 없이 서로 의지하며 연관되어 운행하는 것입니다.

* 오행이 분화하여 10천간이 되는데 천간의 기운은 깨끗하고 맑은 하늘, 공중에 운기를 말하고 지지(地支)위에 위치하고 10개로 나뉘어져 있어서 10천간(十天干), 10간(十干)또는 간지(干支)라고 부릅니다.

*10천간의 명칭과 순서는 아래와 같습니다.

(10천간)

甲 乙 丙 丁 戊 己 庚 辛 壬 癸
갑 을 병 정 무 기 경 신 임 계

2) 지지의 분류

* 땅 지(地)와 가를 지(支)를 의미하며 지지의개념은 천간의 상대적 개념 지지 속에는 지장간이라는 기운이 내포되어 있어서 복잡하고 변화가 많은 특징이 있습니다.

* 하늘이 위에 있고 땅이 밑에 있어서 지지는 천간 아래에 있는 글자이며 개수가 12개이므로 12지지(十二地支)라고 부릅니다.

*사람이 태어난 해를 의미하는 12가지 띠, 1년 12달을 상징하는 달력, 하루를 12시간으로 분류했던 옛 시계에서 볼 수 있습니다.

(12지지)

子 丑 寅 卯 辰 巳 午 未 申 酉 戌 亥
자 축 인 묘 진 사 오 미 신 유 술 해

3) 천간과 지지의 음양 구분

①천간의 음양 구분

*10천간(十天干) 甲 乙 丙 丁 戊 己 庚 辛 壬 癸

*양간(陽干) ㅡ 甲 丙 戊 庚 壬
*음간(陰干) ㅡ 乙 丁 己 辛 癸

*대운의 순운과 역운 정할 때 사용
(천간의 음양)

甲	乙	丙	丁	戊	己	庚	辛	壬	癸
+	-	+	-	+	-	+	-	+	-

지지의 음양 구분

*12지지(十二地支)--子 丑 寅 卯 辰 巳 午 未 申 酉 戌 亥

*양지(陽地) - 子 寅 辰 午 申 戌
*음지(陰地) - 丑 卯 巳 未 酉 亥

(지지의 음양)

子	丑	寅	卯	辰	巳	午	未	申	酉	戌	亥
+	-	+	-	+	-	+	-	+	-	+	-

* 천간과 지지의 역할

1) 천간의 역할

* 10천간은 하늘에 흐르는 오행의 기운으로 양(陽)에

속하며 12지지는 사계절이 순행하는 순서로서

형체(形體)가 있고 질(質)이 있어 음(陰)에 속하며 이 세상에 존재하는 모든 만물을 다 포함하고 있습니다.

* 천간은 하늘의 에너지를 상징하는 기호와 같으며 하늘의 음양오행을 열 가지로 정리하여 나타낸 글자로서 오묘한 자연의 법칙을 설명하고 있습니다.

* 천간은 제각각 그 특성이 다르며 기운으로 보는 것이 마땅합니다.

* 천간이 연극의 주인공이라면 지지는 조연이고 천간이 정신적 의지라면 지지는 행동과 현실이라고 이해하면 됩니다.

*사주를 분석할 때 천간에 드러나 있는 글자가 지지에 뿌리를 두고 있지 않다면 생각만 있고 행동이 없는 것으로 쓸모가 없는 글자가 됩니다.

① 계절의 구분

* 봄(木)이 분화하여 甲과 乙이 되었으니 甲은 초봄이고 乙은 늦봄이라고 분류합니다.

* 여름(火)이 분화하여 丙과 丁이 되었으니 丙은 초여름이고 丁은 늦여름이라고 분류합니다.

* 가을(金)이 분화하여 庚은 초가을이고 辛은 늦가을이라고 분류합니다.

* 겨울(水)이 분화하여 壬과 癸가 되었으니 壬은 초겨울이고 癸는 늦겨울이라고 분류합니다.

②운동성 구분

* 甲은 초봄에 음기를 뚫고 일직선으로 솟아오르는 운동을 말하고 乙은 늦봄에 느슨한 음기로 인하여 여러 방면으로 펼쳐지는 운동을 말합니다.

* 丙은 초여름에 사방팔방으로 발산하고 꽃피우는 운동을 말하고 丁은 늦여름에 최고조의 발산과 확장운동을 말합니다.

* 戊는 펼치고 발산하는 양(陽)운동의 극단을 말하고 己는 양(陽)운동을 끝내고 음(陰)운동의 시작을 말합니다.

* 庚은 초가을에 메마르고 딱딱해지며 결실운동을 말하고 辛은 늦가을로 모든 발산운동을 마무리 짓고 낙과하는 운동을 말합니다.

* 壬은 초겨울로 응집시키고 모으려는 운동을 말하고 癸는 늦겨울로 수렴하고 저장하려는 운동을 말합니다.

2) 지지의 역할

*지지는 천간의 기운이 지상에 내려와 그 운기를 펼치는 모습이며 구체적으로 우리들 삶의 시간에 사용되고 있습니다.

* 하루를 12구간으로 나누어

子시(밤11시~새벽1시)	丑시(새벽1시~새벽3시)
寅시(새벽3시~5시)	卯시(아침5시~7시)
辰시(아침7시~9시)	巳시(오전9시~11시)
午시(낮11시~오후1시)	未시(오후1시~3시)
申시(오후3시~5시)	酉시(오후5시~7시)
戌시(저녁7시~9시)	亥시(저녁9시~11시)

* 1년을 12구간으로 나누어

子월(음력11월)	丑월(음력12월)	寅월(음력1월)
卯월(음력2월)	辰월(음력3월)	巳월(음력4월)
午월(음력5월)	未월(음력6월)	申월(음력7월)
酉월(음력8월)	戌월(음력9월)	亥월(음력10월)
봄	寅, 卯, 辰	
여름	巳, 午, 未	
가을	申, 酉, 戌	
겨울	亥, 子, 丑	

* 명리는 시간과 기운의 학문이며 우리 삶에서 느끼고 볼 수 있는 생활철학인 것입니다.

① 천간의 뿌리역할

지지의 역할 중에서 천간의 뿌리가 되는 것을 말하는데
*하늘에 뜻이 지상에 실현될 수 있도록 밑바탕이 되어주는 것으로 천간이 지지에 뿌리를 두지 못하면 생각이나 의지로 끝나고 실제로 현실에 사용하기가 어렵다고 봅니다.

예를 들어 甲이라는 천간이 지지에 亥, 子, 丑, 寅, 卯, 辰과 같이 바탕이 되어주는 지지를 만나야 그 뜻이 현실로 사용될 수 있다는 것입니다.

② 지지 고유의 역할

* 12지지는 각각의 지지가 갖는 고유의 특성이 있습니다.

* 고유한 특성은 계절에 따라서 변화하기도 하고 또는 합, 충, 형 파 등의 변화에 의해 여러가지 모습으로 나타나기 때문에 본래 갖고 있는 고유한 성정을 제대로 이해해야 합니다.

* 사계절에서 분화하여 더욱 구체적으로 운동성을 관찰할 수 있는 1개월 단위의 운동으로 세분화하여 구분할 수 있습니다.

* 각 글자마다 지장간 이라는 천간의 기운을 내포하고 있기 때문에 복잡하고 변화가 많은 것이 12지지입니다.

* 12지지 글자마다 어떠한 운동성과 기질을 내포하고 있는지를 파악하고 이해하는 것이 우선일 것입니다.

③ 계절(季節)의 역할

*寅, 卯, 辰은 동방(東方) 봄(木)의 계절

*巳, 午, 未는 남방(南方) 여름(火)의 계절

*申, 酉, 戌은 서방(西方) 가을(金)의 계절

*亥, 子, 丑은 북방(北方) 겨울(水)의 계절

*오행의 분화과정에서 10천간을 지나 12지지에 와서 토(土)는 각각 계절의 끝으로 배치된 것을 알 수 있습니다.

④ 기운의 구분

*寅, 申, 巳 ,亥 는 12운성으로 생지(生地)- 기운이 형성되어 활발하게 움직이는 때

*子, 午, 卯, 酉 는 12운성으로 왕지(旺地)- 최고절정기, 왕성한 상태

*辰, 戌, 丑, 未 는 12운성으로 묘지(墓地)- 거두어 저장하는 창고, 죽음

11. 하늘과 땅기운의 구체적인 특징

* 천간의 이해

(1) 갑(木)

*甲은 하늘로 치솟는 성질

* 거북의 등딱지, 껍질, 씨의 껍질 등

* 고집이 세고 자기만의 세상에 빠져 살아가는 경우가 많습니다.

* 甲이란 밭(田) 한가운데에 뿌린 씨앗이 땅 밑으로 뿌리(甲)를 내린다는 뜻을 형상화한 것.

* 초목의 최초의 생장을 의미하며 껍질을 뚫고 나오는 모습.

* 10천간의 첫 글자로 시작과 개척, 기획하고 성장하는 운동성

* 우두머리를 상징

* 하늘에서는 벼락, 천둥, 놀라다, 성내다, 권위 등을 상징

* 물상(物像)

-산림, 조경, 원예, 건축, 가구, 총무, 소나무같은 큰 나무, 목재, 가로수, 기둥, 고층건물 등

* 성정(性情)

- 보스 기질이 있어서 성질이 대단히 곧고 강하며 위로

뻗어 오르려는 진취적인 성향이 많습니다.
- 고개 숙이거나 다른 사람에게 굽히지 않으려고 하고 리더십과 책임감이 강하다는 장점.
- 구속이나 간섭을 싫어하고 남의 말을 잘 듣지 않는다는 단점.
* 甲(木)으로 태어난 여자
-활동력과 생활력이 강하여 집안 살림은 물론 가권을 모두 쥐고 책임을 져야 하는 가장 노릇을 하는 경우가 많습니다.
(2) 乙(木)
* 乙은 봄에 새싹들이 꾸물꾸물 자라는 형상이나 날아가는 새의 모습 상형문자
* 甲(木)이 초봄에 흙을 뚫고 올라와 지엽(枝葉)으로 갈라지며 뻗어 오르는 모습을 나타내는 것으로 유연성과 부드러움을 상징
*하늘에서는 바람(風)을 상징- 흔들리는 나뭇잎을 보고 바람을 볼 수 있다는 뜻
* 물상
-과일, 채소, 종이, 서적, 쌀, 화초, 유실수, 곡식, 묘목, 섬유, 의류, 공예품, 교육, 장식 등
* 성정

- 乙(木)의 성격은 겉보기에는 부드럽고 유하게 보이나 내면은 강하며 항상 다른 사람들과 더불어 어울리기를 좋아하고 인화(人和)에 힘쓰는 타입입니다.
- 적응력이 뛰어나고 끈질긴 생명력
- 포기하지 않고 극복해 나가려는 끈기가 강합니다.
- 말로 먹고사는 달변가
- 꾸미고 장식하는 업종

(3) 丙(火)

* 丙은 가마솥을 엎어 놓은 형상으로 뜨겁다는 뜻을
* 글자 모양이 포크처럼 생겨서 음식을 즐기는 식도락가가 많습니다.
* 하늘에 떠 있는 태양을 상징합니다.
* 물상

- 하늘의 태양
- 예술, 음악, 조명, 언론, 연예, 스포츠, 광학, 안경, 전기, 화학, 사진, 간판, 네온사인 등

* 성정

- 밝고 쾌활, 정열적이고 적극적이며 화끈
- 불같이 급한 성격 때문에 실수를 많이 하거나 매사에 싫증을 빨리 느끼는 것이 단점입니다.

- 겉모습과 달리 감정이 예민하여 내면적으로는 항상 걱정이 있는 경우가 많습니다.
- 언변이 좋고 예절이 바른 성격
- 말이 너무 많아 잘난 척을 많이 하고
- 바른말을 잘하거나 남의 비밀을 지켜주지 못하고
- 자기 마음속을 그대로 노출, 항상 구설수가 많이 따릅니다.

* 여성의 경우

-활동력이 강하고 대인관계가 원만하여 사회활동을 하는 경우가 많습니다
- 밖에서는 인기가 좋으나 항상 나돌아다니다 보니 집안 살림이 엉망
- 남편을 우습게 아는 경향이 많습니다.
- 자기가 가권을 쥐거나 가장 노릇을 해야 하는 경우가 많습니다.

(4) 丁(火)

* 丁은 음화(陰火)로 태양이 지고 난 후에 나타나므로 밤하늘에 별,
* 등촉화(燈燭火)라고 하여 등잔불이나 촛불에 비유하기도 합니다.

* 못을 박을때 나는 소리를 본떠서 만든 글자
* 丁은 못을 뜻하고 한 곳에 "머무르다"는 뜻
* 여름의 막바지, 지상에서 싹튼 새싹의 기운이 하늘 높이 자라서 하늘까지 닿았다는 뜻을 상징합니다.
* 장정(壯丁)- 인간이 성숙하여 힘센 청년이 되면 씩씩할 장(壯)과 성할 정(丁)이라는 뜻
* 물상
- 하늘에서는 별이요 땅에서는 등잔불이나 촛불
- 방송, 통신, 영화, 예술, 음악, 소리,악기, 오락, 서예등을 뜻합니다.
* 성정
- 외유내강 스타일로 겉으로 보기에는 조용하고 약하게 보이나 내면적으로는 자존심과 집념이 대단히 강하고 정신력이 뛰어납니다.
- 보편적으로 고지식, 잔꾀를 부리지 않는데
- 상대방이 불성실하게 느껴지거나 부정한 행위를 할 경우 자기와 이해관계가 없는 일이라도 상대한테 표시가 나도록 미워하거나 시비를 따지는 성격이 있어 공연한 미움을 사는 경우가 많습니다.
- 따뜻하고 훈훈한 인정을 베풀고 대인관계에서도 상하

구별을 확실히 하는 성격

- 丁(火)일주는 대체적으로 남녀 모두 약한 것처럼 보이면서 강하고, 강한 것처럼 보이면서 부드러우며 부드럽고 조용한 것처럼 보이면서도 폭발적인 면을 지닌 것이 특성입니다.

(5) 戊(土)

* 戊는 하늘에서 태양이 지고 난 뒤, 저녁노을 또는 석양
* 무성할 무(茂)에서 생긴 글자로서 만물이 더욱 아름답고 무성하게 자란다는 것을 뜻합니다.
* 물상

- 창고, 토목, 부동산, 농업, 증권, 금융, 은행, 언덕, 빌딩, 성곽, 대지 등을 뜻합니다.

* 성정

- 戊의 성격은 견고하고 중용을 지키며
- 모험심이 강하고 적극적인 행동가로 주관과 개성이 뚜렷하고
- 주체의식이 강하여 자신의 주장을 관철시키는 능력이 있습니다.
- 자기 자신의 판단을 지나치게 과신, 상대방의 말을 듣지 않는 아집과 독선이 강하고

- 다른 사람의 말을 무시하는 경향이 있어 교만하다는 오해를 받기 쉽습니다.
- 성실하고 책임감이 강하여 신용을 중히 여기며 매사에 생각이 깊고 질서가 있습니다.
- 만인을 포용하고 중화와 중용을 지키며 편애를 하지 않고
- 만인과 잘 어울리고 동화력이 풍부하여 항상 주위에 사람들이 많이 모여들거나 여러 사람의 자문에 응하는 경우가 많습니다.
- 분쟁이 났을 때 중간 역할을 담당해 화해를 잘 시키고 중간 소개 역할도 잘합니다.

(6) 己(土)

* 己는 하늘에서 구름
* 무성하게 자란 만물이 자기 몸을 일으킨다는 뜻에서 일어날 기(起)에서 따왔는데 만물이 완전하게 성숙하고 성립했다는 뜻
* 외부를 향해 발전하던 세력이 자신의 내부로 들어와 완벽하게 충실해지는 것을 말합니다.
* 물상

-세무, 경리, 법률, 중계, 공예, 전답, 전원, 정원, 화원, 잔디밭, 평양, 도로, 사토에 해당하며 인간이 가꾸는 땅.

* 성정

- 己(土)의 성격은 순박하고 부드러우며 조용한 가운데 자기주장을 잘 드러내지 않습니다.
- 자애로움과 포용력을 지니고 있어 싫어하는 사람이 별로 없습니다.
- 이쪽 편도 저쪽 편도 들지 않아서 양쪽 모두에게 배척을 받는 경우도 있습니다.
- 변화가 많고 영리하며 적응력이 뛰어난 사람이 많으며
- 남녀 모두 이성을 밝히는 경우가 많아 배우자와의 인연이 좋지 못한 경우도 있습니다.

(7) 庚(金)

* 庚은 하늘에서는 달
* 종을 매달아 놓은 것을 본뜬 글자로 소리만 요란하고 실속이 없다는 뜻도 내포
* 성숙해진 만물이 그 모습을 바꾼다는 뜻으로 고칠 갱(更)에서 따왔는데 만물의 기운이 팽창에서 수축으로 바뀌는 것으로 정기를 견고하게 잘 수렴하여 열매가 여문다는 것을 의미합니다.
* 새로운 질서 창조하는 개혁의 과정
* 물상

- 무쇠, 원석, 바위, 군인, 검찰, 경찰, 기계, 금속, 보안, 스포츠, 경비, 금고, 은행, 무기, 철강, 기계, 농기구, 자동차, 중장비, 열차, 총포, 수렵

* 성정

- 성질은 강건함을 상징하고 한마디로 의리
- 한번 믿는 사람은 배반하는 일이 드물게 됩니다. 너무 의리를 따지다 보니 정작 자기 실속이 약해지고 밖에서 평판은 좋으나 안에서는 별로 실속이 없고 환영을 받지 못하는 경우가 많습니다.
- 의협심이 강하고 정의를 숭상하는 용감한 성격으로 동료애나 소속감이 남달리 강하고
- 강자에게는 대항하고 약자는 도와주며 희생정신이 강합니다.
- 성격이 조급하거나 난폭하고 선악구분이 심하거나
- 명예욕이 강해 독선적, 화를 자초.
- 공사 분명, 지도력, 통솔력, 결단, 소신, 추진력이 강해서 결정 번복·수정하지 않음
- 욕심이 많고 시비를 좋아해 괜한 구설을 자초하기도 합니다.

(8) 辛(金)

* 辛은 하늘에서는 상(霜)이라고 하여 서리에 비유합니다.

* 매울 辛이라는 글자는 암살용 칼, 흑백논리가 분명

* 순진, 외골수가 많아 교제폭이 좁은 경우가 많습니다.

* 새 신(新)에서 따와 완전히 새로워진다는 뜻, 만물의 새로운 탄생을 상징합니다.

* 물상

-보석, 귀금속, 장신구, 반도체, 정밀기계, 용접, 도금, 계산기 등

* 성정

- 辛은 섬세하고 깔끔하며 약해 보이지만 속으로는 단단하고 야무지며 날카로운 면이 있습니다.

- 庚에 비하면 훨씬 부드럽고 똑같이 의리나 정의·공론을 제창, 辛은 조금 더 과감하고 예리함.

- 강한 자존심, 욕심이 많고 자기자신이 최고라는 자아도취에 빠져 다른 사람들 눈총의 대상이 되거나 비난을 받을 염려가 있습니다.

- 강한 행동력으로 남들이 두려워할 정도의 냉혹함과 칼로 도려내는 것처럼 야유와 독설이 강하고 한쪽으로 치우치는 경우가 많아 사회생활에 애로가 있습니다.

- 정확한 기획능력, 계산능력
- 지나친 청백·순수함으로 냉정하거나 까다로운 일면, 비위를 맞추기가 힘든 사람이 많습니다.

(9) 壬(水)

* 壬은 하늘에서는 이슬
* 임신한다는 뜻의 아이 밸 임(妊)자에서 따온 글자, 모든 생물이 壬이란 수액으로 잉태한다는 뜻
* 열매가 익어 씨앗이 되어 땅속에서 다시 새로운 생명을 잉태하는 것을 뜻합니다.
* 물상
- 상표, 특허, 연구, 정보, 선전, 광고 등
* 성정
- 문학적으로 재주가 비상하여 예술인이 많고
- 재미있고 재주가 많아 사람들에게 인기가 많습니다.
- 음탕하고 색욕이 강하여 가정에 문제가 생기는 경우도 있습니다.
- 선천적으로 두뇌가 총명하며 창의력이 뛰어나고
- 선견지명은 다른 사람의 추종을 불허하며 심오한 지혜를 지니고 있습니다.
- 성품이 물처럼 깨끗하고 바다처럼 마음이 넓으며 모든

것을 받아들이는 자세가 좋아 어느 곳에서나 잘 어울리고 사람을 가리지 않는 성품을 가지고 있습니다.

* 여성의 경우

- 개방적이며 머리 회전이 빨라 적극적으로 남성을 유혹하는 경우가 많으며 한 남자에게 집착하는 일이 드물어 음란해지는 경우도 있습니다.

(10) 癸(水)

* 癸수는 하늘에서는 봄비에 비유합니다.

* 헤아리고 분별한다는 뜻에서 헤아릴 규(揆)- 壬水로 잉태한 새 생명이 남녀나 암수로 분별한다는 뜻

* 땅속에 맡겨 길러지던 씨앗이 다시 나오고자 태어날 때를 기다리는 것을 의미합니다.

* 甲, 乙 木은 壬, 癸 水氣를 받아 잉태하여 나오는 것입니다.

* 한 해 시작인 봄이 겨울 땅속에 잉태해 있다가 땅 밖으로 나와 비로소 한 해를 시작하는 이치를 상징하는 것입니다.

* 물상

- 陰水요, 弱水로 만물을 자양하는 근본

- 종자, 씨앗, 세탁, 요리, 유통, 마트, 서비스, 음료, 여행, 백화점, 시장 등

* 성정

- 癸의 성질은 두뇌가 명석, 재치, 너무 자만하고 과신하는 경우가 많습니다.
- 지모가 뛰어나고 항상 변화에 민감하면서 대응 능력이 뛰어납니다.
- 자칫하면 줏대가 없어 보이고 자기 꾀에 자신이 당하는 경우도 있습니다.
- 참모, 보좌역
- 아는 것보다 실천력 부족, 남의 어려운 일 큰 도움을 주지 못하는 단점
- 환경에 따라, 자유자재 변신 변화하고 적응하는 능력, 잘못하면 변덕스럽다거나 지조가 없는 이중성격처럼 보이고
- 한편으로 너무 비밀이 많은 것처럼 보일 수 있습니다.

* 지지의 이해

(1) 子(水)

* 아들 자(子)는 갓난아기를 본뜬 글자

* 쥐띠를 상징하는 것은 번식력이 너무 왕성해서 곡식을 축내는 것을 두려워해서 12지지 중에 첫 번째로 하였으며 "불어나다" ,"계속하다"는 뜻.

* 절기로서는 대설(大雪) 시기

* 확장

- 야간, 음지, 비밀, 애정, 종묘, 종자, 미생물, 산부인과, 소아과, 치과, 수산물, 수영장, 유흥업, 경찰, 흥신소, 연구실, 세면장, 화장실, 의약품, 선박, 수산업, 양식장

(2) 丑(土)

* 소 축(丑)자는 수갑 축이라고도 하는데 손으로 물건을 잡아서 묶으려는 모양을 본떠서 만든 글자

* 소는 농경시대에 가장 큰 재산이 되었기에 12지지 중에 하나로 삼았다. "잡다", "묶다"라는 뜻.

* 절기로서는 소한(小寒) 시기

* 확장

- 봉사, 교육, 희생, 식당, 열쇠, 철물, 전당포, 주차장, 금고, 숙박, 정육점, 방앗간, 농장, 건축, 골재, 과수원

(3) 寅(木)

* 인(寅)자는 화살을 잃어버리지 않게 줄을 매단 모양을 본떠서 만든 글자로 날아가는 화살처럼 빠르고 용맹하다는 의미를 가집니다.

* 호랑이는 옛날 용맹성의 상징이자 두려움에 대상이었기에 12지지 중에 하나로 삼았습니다. "화살", "길게 당기고 늘린다"는 뜻

* 절기로는 입춘(立春)에 해당

* 확장

- 전기, 전자, 기획, 교육, 건축, 인공위성, 우체국, 신문사, 학원, 극장, 자동차, 학교, 터미널, 화랑, 서점, 산림, 목재소, 전자제품, 악기점, 안테나

(4) 卯(木)

* 묘(卯)는 "모험을 하다", "무성하다", "왕성하다"는 뜻을 가지며 식물이 땅 위로 솟아올라서 왕성해지는 모습입니다.

* 글자 모양이 둘로 갈라진 모양이라서 사리분별이 뚜렷하나 이별수가 있다고도 합니다.

* 토끼는 식육가축으로 매우 유용하게 생각하여 12지지 중에 하나로 삼았습니다.

* 절기로는 경칩(驚蟄)에 해당

* 확장

- 패션, 미용, 의류, 장식, 조경, 인테리어, 약초, 채소, 공예, 화원, 꽃집, 농장, 과수원, 설계, 디자인, 화장품, 인쇄, 의상실, 포목, 가구점, 붓, 대서소

(5) 辰(土)

* 진(辰)자는 농기구 모양을 본떠서 만들 글자로 "많다", "꿈틀꿈틀" 이라는 뜻

* 별 진(辰)은 농경사회에서 날씨가 가장 중요한데 비구름을 관장하는 상상의 동물이 용이라고 생각하여 12지지 중에 하나로 삼았습니다.

* 절기로는 청명(淸明)에 해당

* 확장

- 어둠, 비밀, 목욕탕, 여관, 사우나, 유흥, 항만, 부두, 기상청, 냉장고, 농수산, 해물, 염전, 창고, 법원, 사찰, 경찰서, 군부대, 사당, 묘지, 전답, 세관

(6) 巳(火)

* 사(巳)자는 뱀이 나무 사이를 기어가는 모양을 본떠서 만든 글자로 뱀이 기어가는 모양이 움츠렸다 앞으로 나가는 것이 땅을 긁는 모양과 같다 하여 "긁다", "길다"라는 뜻

* 옛날에는 뱀이 많아서 사람이나 가축들이 뱀에 물려서

다치거나 죽는 경우가 많았고 그래서 무사(無事) "뱀에 물려 죽지 않음"이라는 단어가 있었고 현재는 無事는 "별탈이 없음"이라는 말로 사용되고 있습니다. 그러한 두려움에 12지지 중에 하나로 삼았습니다.

* 절기로는 입하(立夏)에 해당
* 확장

- 실천력, 빠르다, 급하다, 항공, 공항, 조명, 사진, 광선, 레이저, 전산, 석유, 화학, 고무, 신발, 플라스틱, 타이어, 염색, 예식장, 요리사, 공연, 화공약품, 주유소

(7) 午(火)

* 오(午)자는 절굿대 모양을 본떠서 만든 글자로 올라갔다 내려갔다 하는 운동 때문에 "교차하다", "어긋나다"라는 뜻을 가집니다.
* 교통수단으로 말의 중요성, 소중함 때문에 12지지 중에 하나로 삼았습니다.
* 절기로는 망종(亡種)
* 확장

- 명랑성, 적극성, 통신, 이동, 방송, 음악, 성악, 광고, 조명, 보도, 카메라, 렌즈, 안과, 시력, 전화, 거울, 유리, 문화, 예술, 배우, 무용, 연구소, 경마장, 번화가

(8) 未(土)

* 미(未)는 나무가 무성한 모습을 본떠서 만든 글자로 "아니다", " 아직 하지 못하다", "미래"라는 뜻을 가집니다.

* 젖과 고기 그리고 가죽까지 매우 유용한 가축이고 사람이 먹을 수 있는 풀인지를 알아볼 수 있는 인간이 기른 첫 번째 사육 동물이었기에 12지지중에 하나로 삼았습니다.

* 절기로는 소서(小暑)에 해당

* 확장

- 부족, 장애, 미숙, 정체, 교량, 토건, 언덕, 석재, 도자기, 다방, 요정, 음식점, 식품업, 양조장, 목장, 야구장, 골프장, 축구장, 공연장, 옷감, 털실

(9) 申(金)

* 신(申)은 하늘에서 번개가 치는 모습을 본떠서 만든 글자로 "뻗치다", "거듭하다", "경계하다"라는 뜻

* 원숭이는 무섭고 두려운 귀신들을 대표하는 동물이기 때문에 12지지 중에 하나로 삼았습니다.

* 절기로는 입추(立秋)에 해당

* 확장

- 재능, 기술, 비밀, 애정, 신출귀몰, 기차, 철도, 조선소, 정류장, 전화, 통신, 기계, 무기, 은행, 의사, 승강기,

세차장, 농기구, 사냥꾼, 군부대

(10) 酉(金)

* 유(酉)는 입구는 좁고 배가 불룩한 술 단지 모양을 본떠서 만든 글자로 "술", "술 담는 그릇", "물을 대다"라는 뜻

* 제사를 지낼 때 재물로 올리는 닭을 중요시 여겨서 12지지 중에 하나로 삼았습니다.

* 절기로는 백로(白露)에 해당

* 확장

- 술, 보석, 칼, 의약, 고기, 구멍, 청결, 분리, 바늘, 금융, 총알, 침구, 마취, 공구, 마이크, 트로피, 거울, 시계, 유리, 귀금속, 다이아몬드, 정밀기계

(11) 戌(土)

* 술(戌)은 전투용 도끼를 본떠서 만든 글자로 "도끼", "개", "지키다"라는 뜻을 가집니다.

* 무기는 사냥이나 자신의 생명을 지켜주는 중요한 물건이고 무기를 대신하여 개는 집과 주인을 지켜주는 충성스런 동물이므로 12지지 중에 하나로 삼았습니다.

* 절기로는 한로(寒露)

* 확장

- 방범, 여관, 나이트클럽, 유흥, 국회, 감사원, 정보부, 형무소, 통계청, 군인, 극장, 서점, 무덤, 무대, 운동장, 관광지, 동굴, 장례, 골동품, 컴퓨터

(12) 亥(水)

* 해(亥)자는 사나운 멧돼지를 본떠 만든 글자로 "간직하다", "뼈대를 갖추다"라는 뜻을 가집니다. *옛날에 멧돼지를 잡아다가 집에서 가축으로 키우게 되면서 돼지는 커다란 식량자원이 되었고 그 중요성 때문에 12지지 중에 하나로 삼았습니다.

* 절기로는 입동(立冬)

* 확장

- 수집, 식복, 모으다, 온천, 어류, 선원, 해초, 세탁기, 수영장, 소방서, 조선소, 군함, 선박, 방광, 배설, 욕실, 무역, 해변, 부두, 상수도, 어장, 수력발전

천간과 지지는 사주 팔자를 이루는 근본이 됩니다.

천간은 하늘의 기운이고 지지는 땅의 작용입니다.

12지지는 동물, 음양오행, 계절, 시간 등을 의미합니다.

12. 형태와 상지으로 보는 '물상법'

1) 10천간의 물상

갑목(甲木)은 인체로 치면 머리이기에 생명의 근원입니다. 건물을 세울 때 위로 올라가는 모습입니다. 우리나라는 갑(甲), 일본은 을(乙), 중국은 무(戊), 미국은 경(庚)입니다.. 우리나라는 해가 떠오르는 동쪽이며 위로 뻗는 나무입니다. 산소, 에너지, 연료, 생기, 발랄, 희망, 활력, 어린이, 시작, 천둥, 우레, 바람, 산신령, 단군왕검이 갑목(甲木)의 물상입니다.

을목(乙木)은 살아 있는 생명체로서 사람도 을목에 속합니다. 피고 지는 꽃처럼 사람은 식물의 시간을 살고 있습니다. 을목은 갑목이 있으면 살기 좋습니다. 큰 나무인 갑목을 꽃줄기(을목)가 타고 올라갈 수 있습니다. 을목은 끈질긴 생명력이 있어서 어떤 환경에서도 살아남기에 현실적이고 실리적이입니다. 을목은 문구, 종이, 화훼, 섬유, 옷, 식물의 물상입니다. 식물은 지표면에서 광합성을 하기에 병화(丙火) 태양이 필요합니다.

병화(丙火)는 태양 빛이고 만물을 키우는 수장, 교육, 보험, 인문학입니다. 펼치는 힘이 화려합니다. 문명, 과학, 방송, 전파, 연예인, 역마의 물상입니다. 하늘에서 공정하게 세상을 비춥니다. 신의 위치에 있기에 인간적인 정에 휘둘리지 않습니다. 길안내자로서 객관적인 방향을 나타내며, 사계절을 인간법칙이 아니라 우주법칙으로 순환하고 있습니다.

정화(丁火)는 온기, 열기, 과학, 에너지, 전기, 달빛, 별빛의 물상입니다. 인간이 만든 불로서 낮보다는 밤에 빛납니다. 옳고 그름을 따지는 법관, 문화, 문명, 겨울을 따뜻하게 보낼 수 있는 에너지, 연료입니다. 촛불이 타면서 빛을 내듯이 자기 열정이 강하기에 소리 없이 열심히 삽니다.

무토(戊土)는 우뚝 솟은 산입니다. 정치적이며 사색적이고 실리적입니다. 비즈니스 중개자, 집을 보호하는 지붕, 다스리는 기질, 지배하는 보호자, 돈을 지키는 힘, 생명체를 길러내는 땅입니다. 눈치 빠른 편인이기에 사회생활을 잘 하고 자기만의 비밀이 있습니다. 적당한 거리를 가지고 중용의 위치에서 세상 만물을 보호하고 길러냅니다.

기토(己土)는 어머니처럼 다정하지만 야무지고 경제적인 살림꾼입니다. 먹을 음식을 길러내는 땅이며 가정생활을 잘하는 현모양처입니다. 보존하고 지키는 본능이 있습니다. 속이 깊지만, 살아남기 위해 현실적 실리적으로 행동합니다. 무토(戊土)가 자연세계의 중재자라면 기토(己土)는 인간세상의 중재자입니다. 기토는 혈관, 근육, 먹을거리인 씨앗을 보존하는 땅입니다. 하늘에서는 흰 구름입니다.

경금(庚金)은 경찰, 군인, 카리스마, 숙살지기(肅殺之氣)입니다. 과일열매, 뼈, 쇠, 돌, 바위, 단단한 물건입니다. 한 해를 정리하는 힘으로 통일성의 본능이 있습니다. 갑을목(甲乙木)이 생산하고, 병정화(丙丁火)가 발전시키고, 경신금(庚辛金)이 수확하고, 임계수(壬癸水)는 저장합니다. 경금(庚金)은 한 해의 결과물인 열매이고, 신금(辛金)은 열매 속의 씨앗입니다.

신금(辛金)은 씨종자입니다. 신금 씨종자는 다음 해에 땅에 심을 곡식의 씨앗으로 생활의 근원입니다. 추수가 끝난 후 손에 쥐어진 결과물입니다. 잘났든 못났든 어떻게 할 수 없는 한 해의 완성품입니다. 바깥에서 다른 모습으로 변화시키려고 강제적인 힘이 들어오면 거칠게 반항합니다. 건드리지만 않으면 다음 해에 새로 날 씨앗을 보존하며 자기세계를 삽니다. 신금은 서리, 눈, 산호, 골수, 딱딱한 완제품, 생명체의 근원, 정자, 난자, 핵입니다.
임수(壬水)는 지하수이며 지혜의 창고입니다. 봄, 여름, 가을 동안 경험한 모든 지식과 정보가 모인 저장소입니다. 아래로 흐르는 물처럼 융통성이 좋은 도인의 물상입니다. 잠재성이 무궁무진합니다. 먹구름, 저기압, 수초, 자궁, 임신, 대뇌, 명상, 저수지입니다.

계수(癸水)는 정인, 상관입니다. 졸졸 흐르는 시냇물로 작고 여립니다. 생명체(갑을목)를 기르는 지상의 물입니다. 계수는 겨울 동안 견딘 생명체를 길러내는 봄비이기에 운동성이 활발합니다. 수증기, 이슬, 옹달샘, 산소, 공기, 허공의 습도, 아지랑이, 고기압, 변화무쌍, 보육의 물상입니다.

2) 12지지의 물상

자(子)수의 물상은 물, 강, 연못, 개천, 도둑, 쥐, 제비, 달팽이, 자가 길신이면 총명하지만 기신이면 미련하고 음탕합니다.

축(丑)토의 물상은 흙, 뽕나무, 동산, 교량, 분묘, 촌장, 귀인, 소, 노새, 축이 길신이면 경사나 승진 등 좋은 일이 많이 따르고 기신이면 저주, 원망, 미움, 송사, 수옥, 이별, 질병 등이 따릅니다.

인(寅)목의 물상은 나무, 신령, 산림, 교량, 도인, 귀인, 가장, 손님, 호랑이, 표범, 고양이. 인이 길신이면 문서와 재물운이 따르고 기신이면 구설, 재물손실, 질병, 관재, 시비 등이 따릅니다.

묘(卯)목의 물상은 묘는 나무, 문패, 형제, 고모, 도둑, 선박, 수레, 토끼이며 길신이면 유통이 원활하지만 기신이면 관재구설이나 분리 등이 따릅니다.

진(辰)토의 물상은 진은 흙, 산등성이, 보리밭, 분묘, 전원, 승려, 염탐꾼, 뱀장어이며 진이 길신이면 특수영양, 의료쪽으로 잘 나가지만 기신이면 매사 얼렁뚱땅 대충주의로 흘러 갑니다.

사(巳)화의 물상은 사는 불, 용광로, 여자, 가전품, 뱀, 거지 등에 해당합니다. 사가 길신이면 문서운이 좋지만 기신이면 질병을 조심해야 합니다.

오(午)화의 물상은 오는 불, 관청, 마루, 하인, 곧은 어른, 말 등에 해당합니다. 오가 길신이면 문장에 능하지만 기신이면 놀림이나 의심이 많아집니다.
미(未)토의 물상은 미는 흙, 큰 정원, 담장, 분묘, 카페, 부모, 과부, 무당, 도인, 양 등에 해당합니다. 길신이면 모임이나 음식 등의 복이 있고 길신이면 관재, 음독, 질병, 싸움이 끊이질 않습니다.

신(申)금의 물상은 신은 금, 사당, 신당, 도로, 방아, 맷돌, 성과 집, 종묘, 공인, 귀한 손님, 행인, 군인, 흉한 사람, 원숭이 등에 해당합니다. 길신이면 분주하고 유통이 원활하고 기신이면 구설, 재물손실, 잔병이 따릅니다.

유(酉)금의 물상은 유는 금. 비석, 도로, 탑, 애인, 부녀자, 귀인, 술장사, 닭, 꿩 등에 해당합니다. 길신이면 청정하지만 기신이면 질병 이별을 수반합니다.

술(戌)토의 물상은 술은 흙, 감옥, 분묘, 착한 사람, 고독한 사람, 형무관, 개, 등에 해당합니다. 길신이면 종교인, 기신이면 허사, 부실, 도주, 경쟁, 수옥 등의 재앙이 따릅니다.

해(亥)수의 물상은 물, 감옥, 사원, 도둑, 어린아이, 거지, 죄인, 돼지 등이 해당합니다. 길신이면 결혼이나 연애운이 좋고 기신이면 쟁투나 이별이 따릅니다.

13. 땅속에 숨어있는 기운'지장간'은 앞으로 나타날 숨은기운을 암시

지장간이란 한자대로 땅(지지) 속에 저장(감추다)한 천간(하늘)의 기운을 말합니다. 보통 천간의 글자 2개나 3개로 구성되어 있습니다.

1) 지장간의 사용법

일지 안에 지장간은 본인의 속마음을 알 수 있습니다.
일지 안에 지장간의 십성(다음에 배웁니다.)은 행동 스타일과 지향하는 바를 알 수 있습니다.
일지 안에 지장간의 글자의 12운성으로 그 강약을 알 수 있습니다.
년월일시의 지장간으로 배우자를 유추할 수 있습니다.
년월일시의 지장간으로 사건의 발생 시점 등을 유추할 수 있습니다.

2) 지장간의 표기

본인의 간명지에 사주팔자 적고 그 아래에 세로로 지장간 쓰는 습관을 꼭 들여야 합니다. 그래야 쓰면서 외워집니다. 천간의 (+, -) 표시도 꼭 같이 하는 습관을 들여야 합니다..

時	日	月	年		건명(여자) 1세 만0세 양력 2021-04 음력 2021-03
식신	주	편재	상관		
庚	戊	壬	辛		
申	戌	辰	丑	지지	
식신	비견	비견	겁재		표준시 경도 경도조정 써머타임 절입조정 야자시
병	묘	관대	앵		
己戊	辛	乙	癸	지장간	
壬	丁	癸	辛		
庚	戊	戊 司令	己		
지지장간은 연해자평의 월령분야지도를 사용					

3) 지장간 암기법

寅 (인)	戊 丙 甲	인-무병갑	인간은 무병장수 할려고 꼴갑떤다
卯 (묘)	甲 乙	묘-갑을	묘한 것이 갑을관계다
辰 (진)	乙 癸 戊	진-을계무	진한 맛을 내려면 계란과 무를 넣어라
巳 (사)	戊 庚 丙	사-무경병	사무라이가 경찰에 맞아 병원에 실려갔다
午 (오)	丙 己 丁	오-병기정	오마담이 병난 것은 기정사실이다
未 (미)	丁 乙 己	미-정을기	미운 정을 기대하지 마라
辛 (신)	戊 壬 庚	신-무임경	신나게 무임승차하다 경찰에게 걸림
酉 (유)	庚 辛	유-경신	유리하게 경신하라
戌	辛 丁 戊	술-신정	술은 신정에 무지하게 마신다

(술)		무	
亥 (해)	戊 甲 壬	해-무갑 임	해 저무는 갑판에서 임을 그리워하다
子 (자)	壬 癸	자-임계	자 임계신 곳
丑 (축)	癸 辛 己	축-계신 기	축축한 비가 계이고 신기루가 떴다

4) 지장간의 발현시기

지장간은 지지안에 들어있는 천간의 기운입니다. 지장간은 여기, 중기, 정기로 이루어져 있습니다. 여기는 전단계의 기운이 이어져 오는 것이고 중기는 씨앗이 되고 정기는 현재 단계의 가장 두드러진 기운이 됩니다.

※ 여기, 중기, 정기의 日數는 30일을 나누어 배정한 일수입니다. 예를 들어 축토에는 여기 계수가 9일간, 중기 신금이 3일간, 정기기토가 18일간 장간되어 있음을 뜻합니다.

	寅	卯	辰	巳	午	未	申	酉	戌	亥	子	丑
여기 餘氣	戊	甲	乙	戊	丙	丁	戊	庚	辛	戊	壬	癸
중기 中氣	丙		癸	庚	己	乙	壬		丁	甲		辛
정기 正氣	甲	乙	戊	丙	丁	己	庚	辛	戊	壬	癸	己

1) 여기

여기란, 전월의 정기가 이월된 것을 의미합니다. 1월 입춘절을 지지로 표현할 때에는 '인목'으로 대하는데 12월 소한절은 '축토'절의 계속으로 '축토'의 남은 기운인 여기가 입춘절에 7일간 남아서 잠재해 있다는 것을 의미합니다.

2) 중기

중기는 '인목'의 초기 첫기운인 여기가 7일간 머물고 인목 본래의 정기인 '갑목'이 16일간 주관하는데, 무토 여기와 갑목 정기와의 사이에서 양자를 소통하는 '병화'가 7일간 있으니 이것을 중기라고 합니다.

3) 정기

정기는 지지가 지니고 있는 본래의 氣, 本氣를 이르며 가장 왕성합니다. 그래서 왕성한 정기를 제일 중요시 합니다. 다시 예를들면, 자월 11월의 절입일은 대설일이 되기 때문에 10일까지는 임수의 여기가 자월 11월을 사령 대표하고, 대설 후 11일 부터 소한 까지는 정기인 계수가 대표 사령한다는 것입니다.
지장간 글자가 천간에 투간이 될 때에 그 천간은 세력을 가지며, 투간이 안되었다면 세력이 약하다고 봅니다. 정기가 투간할 때 가장 강하며, 이것을 두고 천간은 지장간에 뿌리를 두었다고 하며 통근하였다고 합니다. 이처럼 통근한 천간은 그 고유의 속성을 지니며 통근한 지지와 연관되어 현실세계에 작용을 하는 것입니다.

지장간의 오행에서 초기와 중기는 다소 약하고, 지지와 같은 성질을 가지는 정기가 가장 왕성하게 작용하는 것입니다. 특히 월지의 지장간은 사주의 격국을 판단하는 기준이 되므로 주의깊게 봐야 합니다.

14. 하늘땅 기운의 합하고 충돌하고 깨지는 합형충파해의 원리

* 합(合)이란 화합를 말하는데 음양이 서로 짝하여 그 기(氣)가 어울려 하나가 된다는 뜻입니다. 서로 화합하여 결속한다는 의미를 가집니다.

	합.형.충.파.해 원진 조견표					
천간합	갑기-토	을경-금	병신-수	정임-목	무계-화	
천간충	갑경-충	을신-충	병임-충	정계-충		
삼합	해묘미-목	인오술-화	사유축-금	신자진-수		
방합	인묘진-목	사오미-화	신유술-금	해자축-수		
육합	자축-토	인해-목	묘술-화	진유-금	사신-수	오미
삼형	축술미-무은지형		인사신-지세지형		자묘-무례지형	
육형	인사	사신	신인	축술	술미	미축
자형	진진	오오	유유	해해	자묘	묘사
지지충	자오	축미	인신	묘유	진술	사해
파	자유	축진	인해	오묘	사신	술미
해	자미	축오	인사	묘진	신해	유술
원진	자미	축오	인유	묘신	진해	사술

두개의 오행이 합하여 새로운 기운의 오행이 나타납니다.

1) 천간 합

갑기합토, 을경합금, 병신합수, 정임합목, 무계합화

2) 지지 6합
자축합토, 인해합목, 묘술합화, 사신합수, 진유합금, 오미합
(세력이 큰 오행으로 따라갑니다)

3) 3합
첫오행은 그계절의 시작오행이고 중간은 최고점 오행이고
마지막오행은 마무리 끝오행을 뜻합니다.
해묘미 목국, 인오술 화국, 사유축 금국, 신자진 수국

4) 반합
삼합중 하나의 글자만 빠지 경우를 반합이라고 합니다.
왕지가 빠지거나 시지년지간 반합은 힘이 아주 약합니다.

5) 방위합
인묘진, 사오미, 신유술, 해자축

6) 암합
지지암합 - 인축.인미.해오.자진.자술.사유.묘신
간지암합 - 임오.무자.정해.신사

오행의 힘의 순서는 각각오행 < 6합 < 방위합 < 3합

* 충(沖)이란

상대방을 쏜다. 공격한다. 부딪친다는 뜻입니다.

충은 오행의 방위가 반대이면서 음양이 같을때 일어납니다. 대운 간지와 사주 간지가 충할때에는 변화와 변동을 상징합니다. 일반적으로 건강이나 부부 관계의 변화는 부정적으로 해석하지만 이사, 승진, 합격, 당선, 개업 등의 변화는 긍정적으로 봅니다.
천간충은 분열과 파괴로 해석하여 사망, 수술, 질병등의 흉사가 있습니다. 하지만 미약한 충은 긍정적인 작용을 합니다.

1) 천간충
천간중: 갑무충, 갑경충, 을기충, 을신충, 병경충, 병임충, 정신충, 정계충, 무임충, 기계충
영향력이 큰 충: 갑경충, 을신충, 병임충, 정계충

2) 지지충
자오충, 인신충, 묘유충, 사해충, 진술충, 축미충
충이 발생할 경우 사고, 구설수, 질병, 변화, 변동수가 있습니다

* 형이란

사주에서 삼형살은 생각보다 무서운 살입니다.
배신, 사고, 수술, 부도 등이 있습니다.
사주원국에 삼형살이 있으면 성격이 난폭하거나 고집이 아주 강합니다. 하지만 사주 원국이 신강하면 권력을 잡아 위세를 떨치지만 신약하면 끌려가거나 구금 당할수 있습니다.
남녀 관계에 삼형살이 있으면 이별수가 있습니다.
사주에 寅申巳 또는 丑戌未 가 모두 있으면 삼형살에 해당되고 두글자만 있어도 대운이나 세운에 삼형살이 들어올수 있습니다. 일지와 월주에 함께 있는 삼형살은 힘이 더 크게 됩니다.
<상형>인 자묘(子卯)는 무례지형으로 예절이 없고 교만합니다.
<자형>인 진진(辰辰), 오오(午午), 유유(酉酉), 해해(亥亥)

* 파

글자 뜻 그대로 파괴 한다는 뜻이며, 육파라고도 합니다.
상충이나 형.해 보다 작용력이 약합니다.
일지와 월지에 파살이 있으면 부부 이별수가 있으니 더욱 조심해야 합니다.
파 : 자유, 축진, 인해, 묘오, 사신, 술미가 있습니다.

* 해

지지가 육합을 하지 못하도록 방해하는 것이 바로 해입니다.

사주에 해가 많으면 가족간 갈등이 많고 참을서이 부족해 화를 잘내고 고질병이 있습니다.

해 : 자미, 축오, 인사, 묘진, 신해, 유술

15. 형충파해의 작용력의 범위

* 형 - 신체를 다치거나 건강 위협. 돈이 나가고 애정송사 관청 규제 및 구설수

* 지지충

1) 자오(子午) 충 - 밤낮의 갈등. 환경변화. 직장변화
2) 축미(丑未) 충 - 내부 공간 변화
3) 인신(寅申) 충 - 벌리자 마자 끝남
4) 묘유(卯酉) 충 - 시간이 다되서 문제발생
5) 진술(辰戌) 충 - 변화갈등. 고독. 불안정
6) 사해(巳亥) 충 - 직업변동. 환경변동

* 인성충 - 받아들는 것. 정신적인 것. 머리로하는 것이 잘 안풀림
* 관성충 - 책임감. 자리변화
* 재성충 - 가장변화가 큼. 현실문제. 건강문제. 가족중 집 나가는 사람발생
* 식신충 - 도식 당함. 부도. 만들어 나가는것에 문제
* 비겁충 - 충동적. 협력이 깨짐

* 파

1) 자유(子酉) 파 - 막히고. 자식문제. 신경쇠약. 부부불화
2) 축진(丑辰) 파 - 가족가출. 동기간 불화. 덕을 받지 못함.
3) 인해(寅亥) 파 - 중도 좌절. 시비수. 교활 만용 사로잡힘.
4) 오묘(午卯) 파 - 불완전. 색정번뇌. 질투구설. 유흥오락탕진.
5) 사신(巳申) 파 - 화합X. 다툼. 나중에 불화 손재. 교통사고 조심.
6) 술미(戌未) 파 - 은혜를 원수로 덕 부족. 외로움. 주변에서 배신 질투

* 해

1) 자미(子未) 해 - 육친간 불화. 원한. 멀어짐.
2) 축오(丑午) 해 - 관재. 송사. 시비.
3) 인사(寅巳) 해 - 사고. 신체문제. 관형
4) 묘진(卯辰) 해 - 모략. 배신. 재산손해.
5) 신해(申亥) 해 - 물조심. 차량사고 조심.
6) 유술(酉戌) 해 - 투쟁, 갈등, 경쟁

16. 합형충파해의 적용방법

사주팔자의 구성은 천간의 생극합화 외에도 언제나 지지의 회합형충파해 등의 상호관계로 이루어집니다. 천간의 생극합화와 지지의 회합형충파해는 모두 음양 오행의 관계에 불과합니다. 지지의 작용은 매우 복잡 하므로 초학자는 항상 연구하고 기억하여 사주를 볼 때 유의해야 합니다.
천간의 생극합화보다 몇 배나 복잡한 것이 지지의 합형충파해이며 사주 감정의 실력 차이는 지지의 작용에 대한 이해에 의해 좌우 되는 것입니다.

특히 알아두어야 할 것이 있습니다.
지지의 삼합국은 자, 오, 묘, 유의 사정四正이 위주이므로 반드시 삼지 三支가 모두 있어야 완전한 국을 이룹니다. 두 개일 경우 자오묘유의 사정이 개입되면 반합국을 이룹니다. 그러나 인술, 신진申辰, 해미, 사축 등 사정이 없으면 반합국도 이루지 못하는 것이 원칙인데 이때는 천간을 살펴봐야 합니다. 인술이 있고 천간에 병이나 정이 있으면 반합국 정도의 상당한 역량이 있는 것으로 판단합니다.
또 신진申辰이 있고 임계가 있는 것, 사축이 있고 경신庚辛이 있는 것, 해미가 있고 갑을이 있어도 이치는 같습니다. 또 지지에 인술이 있는데 지지에 오는 없고 사가 있는 것, 신진申辰이 있는데 자가 없고 해가 있는 것, 해미가 있는 데 묘가 없고 인이 있는 것, 사축이 있는데 유가 없으나 신申이 있는 것 등도 반합국과 동등한 역량이 있다고 할수 있습니다.
그런데 지지의 관계는 매우 복잡해서 합형충파해가 뒤엉켜 있는 것이 보통입니다. 예컨대 충도 있고 합도 있는 것, 합이 있고 형이 있는 것, 충이 있고 형이 있는 것 등등 매우 복잡한데 이처럼 뒤엉켜 있는 관계에서 어떤 것이 남고 어떤 것이 없어질 것인가, 어떤 것이 강하여 남고 어떤 것이 약하여 작용하지 못하는가, 또 어떤 것이 변화하는가를 분명히 분석할 수 있어야 합니다. 아주 간단하게 사주가 구성되어 충만 있거나 합만 있거나 해만 있거나 형만 있거나 할 때도, 반드시 그런 현상이 득시했는지 실시했는지 강한지 약한지 판단해봐야 합니다.
요약해서 말하면 사주와 운에서 충이 되면 흉함은 많고 길함이 적다고 보는 것입니다.

사주 또는 운에서 충이 되는 지지를 합하면 충이 해소됩니다. 충을 하여 좋은 경우가 있고 충을 하여 해로운 경우가 있으며, 충하는 두 개의 지지 가운데 희신이 있고 기신이 있으니 이때는 운에서 희신을 돕고 기신을 억제하면 길합니다.

천간에는 형과 해가 없습니다. 예컨대 인사형을 보면 사의 병화는 인의 갑목의 생조를 받고, 사형신巳刑申 을 봐도 신申의 경금이 사의 무토의 생조를 받는 것입니다. 해미는 수토지만 유가 있으면 금국으로 변합니다. 또 진은 수를 동반한 토인데 방회의 입장에서 보면 목을 동반한 토입니다. 술은 고의 입장에서 보면 화가 있는 토인데 방의 입장에서 보면 금을 동반한 토가 됩니다. 그러므로 천간은 판단하기 쉽고 지지는 판단하기 어려운 속성이 있습니다.

17. 띠별로 돌아오는 3년의 액운 삼재계산

삼재에 해당하는 해에는 삼재팔난(三災八亂) 즉 3가지 재앙과 8가지 어려움이 있다는 설이 있지만 적중률이 낮아 잘 사용하지 않습니다.

<평복악삼재>
평삼재(平三災) : 삼재인 해가 사주에서 한신에 해당하는 경우로 평범한 운이 들어옵니다.

복삼재(福三災) : 삼재인 해가 사주에서 용신이나 희신에 해당하는 경우에는 복이 들어옵니다.

악삼재(惡三災) : 삼재인 해가 사주에서 기신이나 구신에 해당하는 경우에는 나쁜 운이 들어옵니다.

<삼재의 기간>
인신사해년에 태어난 사람은 삼재가 3년간 지속됩니다.
자오묘유년에 태어난 사람은 묵은삼재, 날삼재만 있습니다.
진술축미년에 태어난 사람은 날삼재만 있습니다.
인신사해년생과 자오묘유년생은 자신의 해에 삼재가 들어오지 않지만 진술축미년생은 자신의 띠해에 삼재가 들어오므로 진술축미년생은 환갑때 삼재가 들어오므로 환갑잔치를 하지 않고 여행을 가거나 칠순잔치로 넘기게 됩니다.

연도별 삼재

인간이 9년 주기로 맞이하는 인생에서 가장 위험한 시기를 말합니다. 9년이 지나가는 시점부터 3년 동안 별의별 재난을 모두 겪는다고 해서 삼재팔난이라고 부르기도 합니다. 삼재에 해당하는 해를 들삼재, 눌삼재, 날삼재라 합니다.

년도	띠(~의 해)	육십갑자	삼재 구분	삼재띠
2020년	쥐	경자(庚子)	눌삼재	소/뱀/닭
2021년	소	신축(辛丑)	날삼재	소/뱀/닭
2022년	호랑이	임인(壬寅)	들삼재	쥐/용/원숭이
2023년	토끼	계묘(癸卯)	눌삼재	쥐/용/원숭이
2024년	용	갑진(甲辰)	날삼재	쥐/용/원숭이
2025년	뱀	을사(乙巳)	들삼재	토끼/양/돼지
2026년	말	병오(丙午)	눌삼재	토끼/양/돼지
2027년	양	정미(丁未)	날삼재	토끼/양/돼지
2028년	원숭이	무신(戊申)	들삼재	호랑이/말/개
2029년	닭	기유(己酉)	눌삼재	호랑이/말/개
2030년	개	경술(庚戌)	날삼재	호랑이/말/개
2031년	돼지	신해(辛亥)	들삼재	소/뱀/닭

삼재 계산 방법

① 자신이 태어난 해와 자신의 띠를 알아냅니다.

② 자신의 띠와 올해 육십갑자로부터, 아래 표를 참조하여

삼재의 해를 알아 냅니다.

③ 날삼재가 끝나는 해부터 9년씩 더하면 다음 삼재에 해당합니다. 대개는 들삼재의 해에 12를 더하면 알 수 있습니다.

들삼재	눌삼재	날삼재	삼재에속하는 띠	비고
사	오	미	묘, 미, 해	토끼/양/돼지
신	유	술	인, 오, 술	호랑이/말/개
해	자	축	축, 사, 유	소/뱀/닭
인	묘	진	자, 진, 신	쥐/용/원숭이

18. 음양오행 건강 판단법

1) 오행과 질병론

모든 질병의 사주의 오행이 조화를 이루지 못하여 오장육부가 균형을 이루지 못해 발생한다 하였습니다.
건강과 장수하는 사주의 공통점은 일간이 건완하고 오행이 두루 갖추어져 중화를 이루고 형.충.파.해 및 극성리 적당해 순환상생이 잘되며 대운에서 조화가 잘 된 것입니다.
氣의 학문인 사주 추명학에서는 인간은 우주의 氣중 지구의 기를 받고 태어난 氣의 응집체 입니다. 지구가 오대양 육대주로 형성되어 있듯이 인체도 오장육부로 형성되어 있습니다.
1년이 365일이듯 인체는 365마디의 관절로 구성되어 있습니다.
1년이 12월이듯 인체는 12경락이 흐르고 지구에 물이 70% 이듯이 인체에도 70%가 수분을 함유하고 있습니다.
태양을 중심으로 지구가 자전과 공전을 하듯 인간도 태어나면서 자전과 공전을 하는데 이 태어난 시점을 문자로 풀어 놓은 네 기둥이 사주팔자입니다.
즉, 타고난 氣를 음양오행학으로 풀어놓은 것입니다.
그래서 사주에는 5장6부의 氣가 나타나 있습니다.
만약 木氣(목기)가 약한 사주팔자를 타고 났다면 선천적으로 간이나 담의 기능이 저하되어 행운에 따라 피로감을 쉽게 느끼고 간, 담 쪽으로 문제가 일어날 수 있습니다.

그런데 만약 그 남편이 金氣(금기)가 센 사주로 태어났다면 金氣(금기)로 木氣運(목기운)을 치니 부인의 건강은 더욱 나쁘게 됩니다. 이러한 오행과 질병은 깊은 연관성을 맺고 있습니다.
오행을 알고 질병에 접근할 수 있도록 오행의 질병적 접근 방법을 시도해 야 합니다.

2) 오행별 인체 부위

황제 내경에서 사람의 체질은 (木. 火. 土. 金. 水) 다섯 가지로 나누어져 있다고 하였습니다.
이것을 (중앙, 좌상, 우하, 우상, 좌하) 다섯 가지로 나누어 총25형으로 분류하고 있는데 오행과 장부를 살펴보면 다음 표와 같습니다.

오행	10천간	인체부위	육장육부	12지지	인체부위
木(목)	甲(갑)	쓸개. 머리	담	寅(인)	쓸개.머리카락.두손
	乙(을)	간. 목	간	卯(묘)	간.열손가락
火(화)	丙(병)	소장. 어깨	소장	午(오)	눈.정신
	丁(정)	심장	심장. 심포	巳(사)	얼굴. 치아. 목구멍. 항문
土(토)	戊(무)	위장. 갈비	위장	辰(진)	피부.어깨.가슴
				戌(술)	넓적다리. 복사뼈
	己(기)	위장. 배	비장	丑(축)	위장. 비장. 다리
				未(미)	위장. 등뼈
金(금)	庚(경)	대장. 배꼽	대장	申(신)	대장. 폐
	辛(신)	폐. 다리	폐장	酉(유)	소장. 피
水(수)	壬(임)	방광. 정강이	방광	子(자)	방광. 귀. 생식기
	癸(계)	신장. 발	신장	亥(해)	머리. 음낭. 다리

무릇 질병은 오행의 불화에서 생기는데 오장육부가 통해져 있으니 10천간에 해당하는 질병은 육부, 12지지에 해당하는 질병은 오장에 있습니다.

그리고 丙,丁과 巳,午 화국(火局)은 주로 질병이 상체 쪽에 생기고 壬,癸와 亥,子 수국(水局)은 하체쪽에 생기며 甲,乙과 寅,卯는 좌측에 생기며 庚,辛과 申,酉는 주로 질병이 우측에 생기며 戊己와 辰戌丑未는 주로 질병이 비장과 위장 및 中脘(중완)에 생깁니다.

이상 오행과 태과나 불급에 의한 것으로 본 것이지만 상극 및 충 작용이 심할 경우에도 위와 같은 증상이 발생합니다.

3) 사주 명식과 질병

사주 구성상 나타나 오행의 태과, 불급을 보고 장부의 허실을 파악할 수 있겠습니다.
예를 들어 사주의 오행구성상 木이 하나도 없고, 木을 생해주는 水도 약하다면 그 사람은 언젠가는 간과 담의 허증 으로 인한 제 증상이 나타난다는 것입니다.
이때 간인지, 담인지를 명확히 구분할 수 없는 문제가 있는데, 동양의학에서는 같은 오행에 속하는것은 음양의 관계에 있으므로 어느 한쪽이 실증이 되면 다른 한쪽은 허증의 증세가 나타난다고 판단합니다.
그래서 간 실증의 증세와 담 허증은 비슷한 증세가 많이 있게 되는 것입니다.
실증의 경우 예컨대 土가 태과하다면 그 태과한 오행이 음토인지, 양토인지에 따라 위장의 실증이냐 아니면 비장의 실증이냐를 파악할 수 있습니다.
양토가 더 많으면 항상 위 실증으로 인한 질병에 조심해야 합니다.
사주의 오행구성을 음양으로 구분하여 숫자를 파악해 보면 선천적으로 타고난 장부의 취약점을 명확하게 알 수 있게 됩니다.
오행이 고르고 음양의 조화가 잘 맞는 사주의 명주는 평생 무병장수할 수 있습니다.
이것은 실제 임상에서 살펴본 실증적인 것이라 하겠습니다.

4) 행운과 질병

가령 폐허증인 사람이 폐결핵으로 고생을 하고 있는데 행운이 火운이나 水운으로 이어진다면 폐허증은 더욱 가중되어 치료에 어려움을 겪게 됩니다.
계절로서는 여름에 더욱 악화될 것입니다. 그러나 행운이 金이나 土운이 이어진다면 약효과가 빨리 나타나서 치료기간을 훨씬 단축시킬 수도 있게 됩니다. 계절로는 가을이 더 유리할 수 있습니다.
이와 같이 어떤 행운이 이어지는지, 어떤 치료 방법을 택할 것인가(침, 환약, 식이요법, 약물요법등)에 따라 질병치료의 치료효과가 다르게 나타날 수 있습니다.

5) 방위와 질병

현대의학에 의존하여 고칠 수 없는 병으로 고생하는 고질병 환자는 여러 가지 방법을 총 동원해 보는 것도 나쁘지 않을 것입니다. 앞서 언급한 선천적인 장부의 허실에 따른 질병이 집의 대문이나 잠잘 때 머리 방향을 어느 곳으로 두느냐에 따라 더욱 악화될 수도 있고, 호전될 수도 있습니다.
음택이나 양택이 잘못 되었을 경우 화가 미치는 경우가 대부분인데 몇 가지를 예로 들어 보도록 하겠습니다.

* 정동쪽으로 대문이 있거나 잠을 자게 되면 간실증이 될 수 있습니다.

그러므로 간허증의 증상으로 생긴 병이 아닌 경우, 명식에 木이 없거나 약한 경우, 火가 없거나 약한 경우를 제외하고는 모두 해롭다 하겠습니다. 특히 木이 태과한 경우는 치명적입니다.

* 정남쪽이 되면 心실증인 환자는 치명적입니다.
그러나 심허증인 환자와 명식에 火가 약하거나, 土가 약한 경우는 좋습니다.

* 정서쪽이 되면 폐실증인 환자는 치명적입니다.
그러나 폐허증인 환자와 명식에서 金이 약하거나, 水가 약할 경우 좋습니다.

* 정북쪽이 되면 신실증인 환자는 치명적입니다.
그러나 실어증인 환자와 명식에 水가 약하거나 木이 약한 경우는 좋습니다.

* 동남쪽이 되면 담실증인 환자는 해가 됩니다.
* 남서쪽이 되면 비실증인 환자는 해가 됩니다.

* 북서쪽이 되면 대장 실증인 환자는 해가 됩니다.

* 동북쪽이 되면 신실증인 환자는 해가 됩니다.

6) 계절과 질병

사주팔자를 보아서 태어난 계절을 나타내는 월에 따라 체질을 분류하여 질병관계를 보는 방법으로 봄(寅卯辰 월)은 血(혈), 여름(巳午未 월)은 神(신), 가을(申酉戌 월)은 氣(기), 겨울(亥子丑 월)은 精(정)과 관련된 장부를 강하게 태어남으로 반대의 기운이 허약을 살펴 질병을 판단할 수 있습니다.

* 木기가 왕한 봄
봄에 태어난 사람은 血(혈)과 관련된 간이나 담의 기운이 강하게 태어났고 봅니다. 그래서 반대 기운인 金기의 허약으로 인하여 氣(기)와 관련된 질병인 폐나 대장 계통의 질환에 걸리기 쉽습니다. 명식 중에 木이 약하거나 火가 약한 사람은 활기를 찾을 것입니다. 그러나 木이 왕한 사람이나 火가 왕한 사람은 질병을 얻을 수 있습니다. 간실증인 사람은 더욱 악화됩니다.

* 火기가 왕한 여름
여름에 태어난 사람은 神(신)과 관련된 심장이나 소장의 기운이 강하게 태어났다고 봅니다. 반대 기운인 水기의 허약으로 인하여 精(정)과 관련된 질병인 신장과 방광계통의 질환에 걸리기 쉽습니다. 명식 중에 火기가 약하거나 土기가 약한 사람은 활기를 찾게 됩니다.
그러나 火나 土가 왕한 사람은 매우 견디기 어려운 계절이 됩니다.
心(심)실증인 환자는 더욱 악화됩니다.

* 金기가 왕한 가을
가을에 테어난 사람은 氣(기)와 관련된 폐나 대장의 기운이 강하게 태어났다고 봅니다. 그러나 반대 기운인 木기의 허약으로 인하여 血(혈)과 관련된 질병인 간과 담 계통의 질환에 걸리기 쉽습니다.
명식 중에 金이나 水가 약한 사람은 살맛이 나지만 金이나 水가 왕한 사람은 고전하게 됩니다. 폐실증인 환자는 더욱 악화됩니다.

* 水기가 왕한 겨울
겨울에 태어난 사람은 精(정)과 관련된 신장과 방광의 기운이 강하게 태어났다고 봅니다. 반대기운인 火기의 허약으로 인하여 神(신)과 관련된 질병인 심장과 소장계통의 질환에 걸리기 쉽습니다. 명식에 水나 木이 약한 사람은 활력을 되찾지만 水나 木이 왕한 사람은 고생하게 됩니다.
그러나 신 실증인 환자는 더욱 악화됩니다.

* 土기가 왕한 환절기
土나 金이 약한 사람은 좋으나 土나 金이 왕한 경우와 신약한 경우는 고전합니다. (辰. 戌) 월은 위 실증환자가 그리고 (丑, 未)월은 비 실증환자가 더욱 악화됩니다.

19. 일간의 관계로 도출되는 열가지 신의 속성 십신의 의미

십신이란 말그대로 10가지가 있습니다.

비견, 겁재

정인, 편인

식신, 상관

정재, 편재

정관, 편관

아래 사주는 비견이라는 월지를 가지고 있고 식신이 월간 일지에 있으니

비견과 식신의 성격이 강하다고 보면 되고 비견이 월지니까 독립심이 강하고 자존심이 있습니다. 그다음으로 식신이 많으니 식신 성격이 강한데요 창작성이 좋고 매너있고 예의 있으면서 예술쪽에 재능이 있습니다.

時	日	月	年
정관	주	식신	정인
甲	己	辛	丙
戌	酉	丑	申
겁재	식신	비견	상관
辛丁戊	庚辛	癸辛己	戊壬庚
양	생	묘	욕
산두화	대역토	벽상토	신하화
월살	년살	반안살	지살

간단하게 요약하면

비견, 겁재 - 고집, 주체성

정인, 편인 - 공부, 이해

식신, 상관 - 표현, 예술

정재, 편재 - 재물, 기획

정관, 편관 - 정직, 의리

이런 특성이 있는데 월지 중심으로 일지 월간 시주 순으로 보시는게 좋습니다.

20. 십신의 구체적 특성에 대해 알아보자!

1) 정인(正印)

▶ 의미(意味)

일간을 생하여 주는 오행 중 음양이 다른 것을 말합니다. 일명 인수(印綬)라고 합니다. 나를 생하여 주는 어머니와 같이 자연의 생명을 영원하도록 하는 태양, 물, 공기 등이 인수의 의미를 지닙니다. 나의 근원이 되어 출발하고 계승적인 의미로 보아 귀인(윗사람), 스승, 학문, 책, 문서, 도장, 서류, 진리 등이 정인에 해당합니다.

▶ 특성(特性)

- 학문과 인의를 존중하며, 인정이 많고 종교적인 자비심이 많으며, 명예를 지키는 선비 기질을 지닌 보수적인 경향이 있습니다.
- 어머니와 같이 편안하고 지혜로우며, 지나치게 편협된 생각으로 타인을 무시하고 마찰이 생기는 경향이 있습니다.
- 계획과 설계가 좋으나 실천력이 부족하고 행동이 느린 성향이 있습니다.

2) 편인(偏印)

▶ 의미(意味)

일간을 생하여 주는 오행 중 음양이 같은 것을 말합니다. 일명 효신(梟神) 또는 도식(倒食)이라고 합니다.

효신은 올빼미를 말하는데 올빼미는 낮에는 잠자고, 밤에 행동하여 어머니의 자식 사랑이 변덕스러워 자기 자식을 잡아 먹고 부모에게 불효하는 대표적인 새로 편인의 특성에 부합하여 부릅니다.

도식은 질병의 신, 박복의 신이라고 할 수 있습니다.

즉, 식신을 파괴하는 성분으로 재물과 처를 극하는 겁재를 도우니 간접적으로 재물과 처를 극하는 작용을 하는 것을 말합니다.

▶ 특성(特性)

- 기회주의적 성향이 강하고, 사기와 허례의식이 강하며, 고독하거나 외로운 성향이 있습니다.

- 불평불만이나 의심이 많으며, 대인관계가 불안하여 친하게 지내기 어려운 면이 있으며, 신경이 예민하여 타인에게 결계를 범하는 경향이 있습니다.

- 통찰력이 있어 넓은 견문을 갖추는 면이 있습니다.

3) 정관(正官)

▶ 의미(意味)

일간을 극하는 오행 중 음양이 다른 것을 말합니다. 관은 자연계가 항구적으로 존속되기 위한 도요, 법이요, 질서요, 법칙이라 할 수 있습니다. 지구가 지축이 23.5도로 기울어져 있음이 관이 기울어져 있음이요, 천자에게도 도가 있다고 하는 것도 관이 중요하다는 것을 말할 수 있습니다.

인간 사회에서도 항구적으로 존속되기 위하여 그 질서가 필요함인데, 그것이 도덕이요, 법률이 되는 것이니, 정관은 사주에서도 대단히 귀한 존재로 볼 수 있습니다.

▶ 특성(特性)

- 품위와 인격이 있으며, 자비와 도덕심도 갖추고 있으며, 권위와 통솔력이 있으며 바른 생활을 하는 면이 강합니다.

- 명예와 질서를 존중하고 타인의 모범이 되며, 법도에 어긋남이 없어 청렴결백한 면을 지닙니다.

- 융통성이 부족하여 고지식하고 개혁과 변화를 싫어하고 보수적인 경향이 있습니다.

4) 편관(偏官)

▶ 의미(意味)

일간을 극하는 오행 중 음양이 같은 것을 말합니다. 일명 칠살(七煞)이라고 합니다.

자연계가 순환운동을 하며, 음양이 바뀌게 되는 것이니, 생하는 것이 있으면 반드시 사하게 됩니다.

아신(我神)을 생하는 인성이 있다면 편관은 아신을 무정하게 극하여 사하는 작용을 하는 것입니다.

▶ 특성(特性)

- 완고한 고집으로 강제성으로 타인을 지배하거나 독재력이 강한 면이 있습니다. 모험적인 면이 있으며, 성급한 감정으로 타인에게 이미지를 실추하는 경향이 있습니다.
- 영웅적 기질과 카리스마를 가지며 매사에 조급하고 의리를 지나치게 강조하는 면이 있어, 법을 두려워하지 않는 경향이 있으며, 자기 과시가 많은 면이 있습니다.
- 비밀이나 약속을 잘 지키며 타인에게 아쉬운 소리를 잘하지 못하는 경향도 지니며, 배짱과 담력을 지니고 있습니다.

5) 정재(正財)

▶ 의미(意味)

일간이 극하는 오행 중 음양이 다른 것을 말합니다. 자연계의 순환이 일정한 흐름을 유지하게 하는 것으로 의식주 생활을 위해 성실히 노력한 대가이며, 정식으로 혼례를 치르고 맞이하여 가정을 유지하는 처가 됩니다.

▶ 특성(特性)

- 성실하고 충직하여 사리분별과 판단력이 정확하며, 명예와 신의가 두터운 면이 있습니다.

- 바르게 살고자 노력하며 직장에서 성실히 일하며, 검소하고 저축을 꾸준히 하는 면을 지닙니다.

- 부적절한 금전관계를 하지 않는 면이 있으며, 금전을 활용하는 면이 약하거나 인색하여 소심한 경향을 나타냅니다.

- 타인을 잘 믿지 못하는 면이 있습니다.

6) 편재(偏財)

▶ 의미(意味)

일간이 극하는 오행 중 음양이 같은 것을 말합니다. 정재가 정당하게 얻는 것이라면 편재는 정상적인 이익을 초과하거나 부당한 방법으로 얻어지는 것이 됩니다.

▶ 특성(特性)

- 아이디어와 활동력이 좋고, 대인관계와 외교 능력이 뛰어나며, 정당한 대가가 아닌 비정상적인 재화를 탐하거나 허황된 재물을 노립니다.

- 다소 허풍이 심하고, 편파적인 성향이 있으며, 계산적인 면이 있어 비굴한 면도 지니어 타인의 비난을 받는 경향도

있습니다.

- 재물을 탐하는 욕심이 많아 수단 방법을 가리지 않으며, 낭비가 심한 면이 있어 주색이나 잡기로 어려움을 겪는 경향이 있습니다.

7) 상관(傷官)

▶ 의미(意味)

일간이 생하는 오행 중 음양이 다른 것을 말합니다. 상관은 사주에서 귀하게 여기는 정관을 해치고 상하게 함으로 붙여진 이름입니다.

자연계의 순환이 생을 받기만 하는 것이 아니라, 받은 것을 다시 내어 놓아 자연계의 존속함이 조화롭게 흐르게 되는 것입니다.

▶ 특성(特性)

- 총명하고 재주와 재능이 뛰어나며 특히 언변이 뛰어난 면을 지니며, 주장이 강하여 시비를 초래하는 면이 있으며, 이에 오해가 따르는 면이 있습니다.

- 거만하고 불손한 성향이 있으며, 타인의 자존심을 건드리는 면이 있어 구설로 인한 화가 따릅니다.

- 변화에 대한 적응력이 좋으며, 임기응변이 좋아 어떠한 일도 감당하는 능력을 지니며, 승부욕이 강한 면이 있습니

다.

- 비판적이고 반항적인 면이 있으며, 타인의 능력을 무시하고 인정하지 않는 면이 강해 청개구리식 기질이 있습니다.

8) 식신(食神)

▶ 의미(意味)

일간이 생하는 오행 중 음양이 같은 것을 말합니다.

식신은 자연계의 만물이 사하는 것을 보호하는 작용이 있으며, 자신의 에너지를 소비하는 활동으로 의식주 생활에 필요한 재화를 얻는 경제적 활동으로 수성(壽星)이라고도 합니다.

▶ 특성(特性)

- 예의가 바르고 풍류를 좋아하는 낙천주의적 면으로 너그러운 마음이 있습니다.

- 품어 나오는 세련미가 있으며, 문학과 예술적 감각이 뛰어나며, 가무와 예술을 좋아하고 창작성이 있으며, 올바른 소리를 잘하며 표현력을 지닙니다.

- 적극적인 면이 부족하고 결단성이 약해 진취적이지 못한 면이 있으며, 다투거나 따지는 것을 싫어하는 경향이 있습니다.

9) 겁재(劫財)

▶ 의미(意味)

일간과 동일한 오행으로 음양이 다른 것을 말합니다.

자연계에서 일정한 흐름을 유지하게 하는 재성을 극하게 되어 겁재라 합니다.

▶ 특성(特性)

- 자존심과 아집이 강해 냉혹한 부분이 있으며, 강압적, 폭력적인 성향ㅇ르 드러내며 모험적인 기질이 있습니다.
- 끊고 맺음이 분명하며 리더쉽이 뛰어나며, 결단력이 있습니다.
- 승부 기질이 남달라 경쟁심이 강하며, 충동적인 성향이 있으며, 요행을 바라는 면이 있습니다.
- 솔직하며, 의리와 신용을 중히 여기며 강자에게 대항하고 약자에게 약한 면이 있습니다.

10) 비견(比肩)

▶ 의미(意味)

일간과 동일한 오행으로 음양이 같은 것을 말합니다. '어깨를 견준다'는 말로 일간과 대등한 관계에 있는 것을 비견이라 합니다.

▶ 특성(特性)

- 독립성이 강하며 의지가 굳건하며, 고집이 세어 타인에게 굽히지 않습니다. 주관성이 강하여 불화를 일으키기 쉽습니다.

- 자존심이 강하며, 의지하거나 지배당하지 않으며, 과감한 행동의 성향으로 결단력과 추진력이 있습니다.

- 공사를 구분하고 청렴하며, 바른말을 잘 하며, 자기가 싫어하는 일은 절대로 하지 않습니다.

21. 십신(육친)의 해석과 통변 잘하기

1) 비겁(양인살) - 비견과 겁재

*** 비겁 과다의 害**

남녀 공히 배우자와의 갈등이 따릅니다.

친구, 동료, 형제로 인한 금전적 손실이 있습니다.

고집, 승부욕, 질투심이 강합니다.

*** 비견(比肩)**

. 음양오행 - 일간과 오행이 동일하고, 음양도 같은 간지

. 표출 : 형제 자매와 친구를 나타냅니다.

. 남자 : 처의 정부,

. 여자 : 남편의 첩, 동서

. 특성 : 분리, 독립,자존심과 고집을 나타냅니다.

. 비견이 형, 충, 파, 해되면 형제 및 친구의 도움이 없습니다.

. 비견이 공망되면 남자는 부친과 인연이 없고 극처하며, 여자는 남편 및 자식과 인연이 박하고, 형제는 서로 불화하여 동거하지 못합니다.

. 년간에 비견이 있으면 자기와 손 위의 형님 또는 누님이 있거나 양자가 될 팔자이며, 월간에 비견이 있으면 반드시 형제자매가 있다고 봅니다.

. 월지에 비견이 있으면 사주에 관살이 없는 한 성질이 다소 난폭하게 됩니다.

. 비견과 겁재가 동주하면 부부가 딴 생각을 하게 됩니다.

. 과다 : 친구와 화합하기 힘들고 배우자와 헤어지기 쉽습니다.

. 부친과 인연이 짧고, 모친에 불효하기 쉽습니다.

. 사주 원국에 비견이 과다하면 결혼이 늦어지고, 외도하기 쉽습니다.

. 남자 : 자존심이 강해 직장 이동이 잦을 수 있습니다

. 여자 : 애교가 지나쳐 부정한 생활이 될 수 있습니다. 여자 사주에 비견 겁재가 강하면 독신으로 지내는 수가 많으며, 첩이 되는 수도 있습니다. 비견이 많으면 색정으로 인한 번뇌가 많으며, 가정불화도 종종 있습니다.

. 동주 : 비견과 다른 육친이 같은 기둥에 존재하는 경우.

. 비견과 겁재가 동주하면 가까운 형제나 친구와 처가 불륜에 빠질 수 있습니다.

. 여자 사주에 비견과 관성이 동주하면 남편과 친구가 불륜에 빠진다고 봅니다.

* 겁재(劫財)

. 표출 : 형제 자매와 친구, 또는 이복 형제 자매를 나타냅니다.

. 남자 : 처의 정부,

. 여자 : 남편의 첩, 동서

. 음양오행 - 일간과 오행이 동일하고, 음양이 다른 간지

. 특성 : 투쟁과 독단, 교만을 나타내며, 강자에게는 아부하는 비굴함도 나타냅니다.

. 사주의 년 또는 월중에 겁재가 있으면 장자는 되지 않습니다

. 신강사주에서 겁재는 하나만 있어도 흉작용을 하며, 때로는 충보다 더 큰 해를 끼치기도 합니다.

. 과다 : 남을 무시하고 욕심이 많고 다툼이 잦아 항시 불안하며, 부부간은 물론 친구사이도 불화하여 외롭게 지낼 수 있습니다.

. 겁재가 특히 많으면 남자는 처를, 여자는 남편을 극하고 구설수가 많게 됩니다.

. 비견과 겁재가 특히 많으면 화류계 여성을 처로 두기도 합니다.

. 동주 - 겁재와 상관이 동주하면 무뢰한이 되기 쉬워 자식에게 해를 입히게 됩니다.

2) 식상 - 식신과 상관

* 식상 과다의 害

심신이 극히 허약할 수 있습니다

남자는 사회생활에서 리더가 되기 힘들며, 여자는 남편을 극하고 이별의 고통을 느끼게 됩니다.

한가지 일에 집중하지 못하며 구설수로 인한 대인관계의 모순을 안게 됩니다.

* 식신(食神)

. 음양오행 - 일간이 생하는 오행으로 음양이 같은 간지

. 표출 : 조모나 외조부를 나타냅니다.

. 남자 : 장인, 장모, 조카, 손자, 사위

. 여자 : 자녀와 친정 조카

. 특성 : 의식주와 일복이 있음을 나타냅니다.

. 과다 : 사주에 식신이 하나만 있으면 팔자가 좋다고 보고, 일지에 정관이 있으면 부귀합니다.

. 사주에 식시이나 상관이 너무 많으면 자식과 인연이 박하다고 봅니다.

. 남자 : 신체가 외소하거나 잔병치레를 하게 되며, 정력에 문제가생깁니다.

. 여자 : 자식이 귀하고 과부가 되거나 독수공방을 하게 됩니다. 식신이 충을 당하거나 비겁의 도움이 없으면 자식과 인연이 약하거나 유산의 위험이 있습니다.

* 상관(傷官)

. 음양오행 - 일간이 생하는 오행으로 음양이 다른 간지

. 표출

남자 : 첩의 어머니를 나타냅니다.

여자 : 아들이나 친정조카를 의미합니다.

. 특성 : 교만하고 타인을 얕보며, 자신보다 강한자에게는 아부하는 경향이 있습니다.

. 사주에 상관이 있으면 자손이 해롭습니다.

. 년주가 모두 상관이면 단명하고 부귀를 길게 누리지 못합니다.

. 년간이 상관이면 부모덕이 박해 타지로 나가게 됩니다.

. 상관만 있고 관성이 없는 여자는 정조관념이 역하며 한 남자에 만족하지 못한다고 봅니다.

. 과다 : 타지생활을 할 가능성이 큽니다.

. 남자 : 처첩을 두게 되거나

. 여자 : 정부를 두게 됩니다.

. 식상이 백호살과 동주하면 자식이나 남편이 재난을 당할 수 있습니다.

. 식상이 도화살과 동주하면 불륜에 빠지기 쉽습니다.

3) 재성 - 편재와 정재

* 재성 과다의 害

밖으로는 화려하게 보이나 내면적으로는 고민이 많게 됩니

다.

아내가 가정의 중심에 서므로 남편의 권위는 떨어지기 마련입니다.

남녀 모두 자녀 덕이 박하며, 드러난 재물은 유지하기도 어렵습니다.

도박성, 일확천금에 대한 탐욕이 대단합니다.

이성문제에 있어서 구설수가 많이 따를 수 있습니다.

* 편재(偏財)

. 음양오행 - 일간이 극하는 오행으로 음양이 같은 간지

. 표출 : 부친과 숙부

. 남자 : 첩 또는 처의 형제

. 여자 : 시어머니와 손자

. 특성 : 고집과 강직으로 나타나며 재물의 들고 나감이 심하게 됩니다.

. 과다 : 주색을 좋아하고 가정을 지키기 힘들다고 봅니다.

. 남자 : 편재가 과다하면 풍류객이라 외도를 하게 되지만, 아내에게 재정권을 박탈당하기도 합니다.

. 년주의 재성이 비겁과 동주하면 친구의 여자를 탐하거나 내여자를 친구에게 빼앗기는 경우도 생깁니다.

. 재성이 도화살과 동주하면 한여자로 인해 친구나 형제간에 반목이 있게 됩니다.

. 신약사주에 편재가 과다하면 부친덕이 약하고 여자에 눌려 살게 됩니다.

. 여자 : 재성이 과다하고 관성이 없으면 남편을 얕보게 되어 남편과 헤어지기 쉽습니다.

* 정재(正財)

. 음양오행 - 일간이 극하는 오행으로 음양이 다른 간지

. 표출 : 큰아버지와 고모

. 남자 : 본처와 처의 형제

. 여자 : 시어머니

. 특성 : 다복한 생활을 나타내며 안정감있는 생활을 표시합니다.

. 년과 월주에 정재와 정관이 있으면 부귀할 집안에 태어납니다.

. 월간에 정재가 있으면 부지런합니다.

. 월지에 정재가 있으면 성품이 부더럽고 성실하고 원만한 생활을 이어 나갑니다. 단, 신약한 사주에서는 부모형제 덕이 없다고 봅니다.

. 일지에 정재가 있으면 처의 내조가 있다고 봅니다. 단, 신약 사주에서는 처에 눌려살게 됩니다.

. 시간에 정재가 있으면 자수성가 합니다. 또 그 정재가 형.충.파.해되지 않고 겁재가 없으면 처자가 길합니다.

. 신약하고 재가 많은 재다신약사주는 빈천하며, 재물로 인해 우여곡절을 겪으며 구금을 맛볼 수도 있습니다.

. 과다 : 정분으로 인해 재산을 잃는 경우가 생깁니다.

. 남자 : 정재와 식신이 가까이 있으면 처의 내조가 크고, 정재와 정관이 가까이 있으면 처가 현명하다고 봅니다.

. 여자 : 정재가 너무 많으면 반대로 빈천하게 됩니다.

. 정재나 편재가 없으면 남편이 허약하거나 하는 일이 풀리지 않습니다.

. 정재와 인수가 너무 많으면 음란해진다고 봅니다.

4) 관성(관살) - 편관과 정관

심신이 미약하여 활동력이 떨어지며, 타인의 지배나 간섭을 싫어하고 타인을 무시하고 강제하려는 행동을 보입니다.

여자는 남편에 대한 덕이 부족하고 사회생활 또한 일이 고단하며,

남자는 직업 변동이 여러 번이며 과중한 업무로 인한 스트레스가 심합니다.

* 편관(偏官) - 칠살

. 음양오행 - 일간을 극하는 오행으로 음양이 같은 간지

. 표출

. 남자 : 자식과 백모, 조부, 사촌형제

. 여자 : 남편의 형과 정부

. 특성 : 완강하고 고집이 세며 흉폭하여 자기주장만 내세우며 다른 사람을 무시하는 경향이 있습니다.

. 년주에 편관이 있고 장남이면 부모를 이기고 재산을 탕진한다고 봅니다.

. 월주에 편관과 양인살이 동부하면 일찍 모친을 잃거나 조기 결혼한다고 봅니다.

. 일지에 편관이 있으면 영리하지만 성격이 급하다고 봅니다.

. 편관과 편재가 동주하면 부친과 인연이 약하다고 봅니다.

. 편관과 정관이 여러개 있는 관살혼잡은 주색을 밝히며 잔꾀에 능하다고 봅니다.

. 남자 : 문관보다는 무관으로 성공할 가능성이 크며

. 여자 : 재가하거나 정부가 되기 쉽습니다.

. 관살혼잡에 도화살과 삼합이 있는 경우는 음란이 지나쳐 남편도 알아보지 못한다고 알려집니다.

. 백호살과 관성이 동부하면 남편의 건강에 문제가 생긴다고 봅니다.

* 정관(正官)

. 음양오행 - 일간을 극하는 오행으로 음양이 다른 간지

. 표출

. 남자 : 자식과 조카

. 여자 : 남편과 조모

. 특성 : 품행이 단정하고 명예와 신용을 지키는 타입으로 보며 여자에게는 법적인 남편을 나타냅니다.

. 신강 사주에 월지에 정관이 있으면 현처를 얻는다고 봅니다.

. 시주에 정관이 있으면 노년에 자식을 두기 쉬우며, 시주에 재성이 동주하면 후처에게서 자식을 얻는다고 봅니다.

. 여자 사주에 정관이 충을 받고 도화살과 동주하거나 백호살과 만나면 화류계로 나갈수 있다고 봅니다.

. 정관이 역마와 동주하면 신체의 이동이 많은 일을 하게 됩니다.

. 과다 : 부부간에 불화하고 독신이나 걸인이 될 수 있습니다.

. 남자 : 신약 사주에 정관이 과다하면 의식주도 해결하기 힘들며, 큰 화가 미칩니다.

. 여자 : 정관이나 편관은 남편을 의미하는 것이므로 정관이나 편관이 하나 있는 것이 가장 좋으며 관살혼잡이 되면 정조를 잃기 쉽습니다.

. 관성이 용신이면 남편덕이 있는 사주입니다.

5) 인성 - 편인과 정인

사주내에 인성이 없으면 인덕이 부족하다고 봅니다.

또한 어머니에 대한 애뜻한 감정이 부족하며 어머니의 보살핌을 받기 힘듭니다.

따라서 학문에 힘쓰고 다른 사람과 더불어 살아가려는 노력이 필요합니다.

* 인성 과다의 害

정신력이 약하고 의존성이 강하며 또한 게으르다고 봅니다.

남녀 모두 배우자와의 관계에서 괴로움이 발생하기 쉽습니다.

생각만하고 실천하지 못하는 일이 자주 발생하며, 자녀덕이 박하다고 봅니다.

* 편인(偏印)

. 음양오행 - 일간을 생하는 오행으로 음양이 같은 간지

. 표출 : 계모나 유모

. 남자 : 첩의 아버지나 어머니의 형제

. 여자 : 어머니의 형제

. 특성 : .이별이나 고독 파산 등을 나타내며, 사주에 편인이 많으면 불행해 진다고 봅니다.

. 신왕한 사주에서 일지가 편인이면 결혼운이 나쁘다고 봅

니다.

. 편인이 일주와 가까이 하면 모친과 인연이 박하다고 봅니다.

. 과다 : 재난이 잦으며, 도량이 넓어도 변덕이 심합니다.

. 남자 : 편인이 많으면 모친과 처와의 사이가 나쁘고 재물이 모이지 않습니다.

. 여자 : 천간과 지지가 모두 편인이면 남편과 인연이 박하고,

. 편인이 상관과 동주하면 남편이나 자식과 인연이 박합니다.

* 정인(正印)

. 음양오행 - 일간을 생하는 오행으로 음양이 다른 간지

. 표출

. 남자 : 어머니와 장모

. 여자 : 어머니와 사촌형제

. 특성 : .지혜롭고 단정하며 타인에게 존경을 받는다고 봅니다.

. 연간에 정인이 있고 일주나 시주에 인수가 오면 어머니가 두 분이라고 봅니다.

. 시주에 정인이 있으면 자식복이 있다고 봅니다. 단, 신왕사주에 정인이 많으면 자식이 적고 빈천해 집니다.

. 과다 : 부부간에 이별수 등으로 가정이 편안치 못하고 자식이 불효한다고 봅니다.

. 남자 : 정인이 너무 많으면 처와 헤어지거나 자식과 인연이 약합니다

. 여자 : 남편복이 없다고 보며, 자식이 없거나 있더러도 허약합니다.

. 관성이 약하고 정인이 왕성하면 가장노릇을 하거나 과부가 될 수 있습니다.

22. 쎈사주와 약사주 신강과 신약구분

목木	- 인묘진(寅卯辰) 월에 가장 왕성하고 해자축(亥子丑) 월에도 수생목하여 왕성하다. - 사오미(巳午未) 월에는 화(火)가 성하는 계절이므로 그 기운을 화(火)에게 빼앗겨서 쇠퇴하며, 신유술(申酉戌) 월에는 목(木)을 극(剋)하는 금(金)이 왕성한 계절이므로 가장 쇠약해진다.
화火	- 화(火)는 사오미(巳午未)월에 가장 왕성하며, 인묘진(寅卯辰) 월에도 목생화하여 왕성하다. - 신유술(申酉戌) 월에는 쇠약해지며, 해자축(亥子丑) 월에는 가장 약해진다.
금金	- 금(金)은 신유술(申酉戌) 월에 가장 왕성하며, 토(土)가 성하는 진술축미(辰戌丑未) 월에도 왕성하다. - 해자축(亥子丑) 월과 인묘진(寅卯辰)에는 쇠약하며, 사오미(巳午未) 월에는 가장 약해진다.
수水	- 수(水)는 해자축(亥子丑) 월에 가장 왕성해지며, 신유(申酉) 월에도 왕성하다. - 인묘진(寅卯辰) 월에는 쇠약해지며, 사오미(巳午未) 월과 진술미(辰戌未) 월에는 가장 약해진다.
토土	- 토(土)는 진술축미(辰戌丑未)월에 가장 왕성하며, 사오(巳午) 월에도 왕성하다. - 신유(申酉) 월과 인묘(寅卯) 월에는 쇠약해 진다.

1) 출생 월이 일주가 왕성한 달인가 아닌가를 살펴봅니다.

2) 일주가 생조(生助)되는 오행이 많으면 신강이고, 반대로 일주를 극해하는 오행이 많으면 신약이 됩니다.
(생조 - 비겁, 인성) (극해 - 재성, 관성) 그리고 일주의 오행을 누출시키는 식신과 상관을 만나면 기운이 누출되어 일주가 약해집니다.

3) 일주가 지지에 십이운성의 장생, 건록, 제왕 등을 만나면 기운을 얻는다 하여 신강합니다.

4) 地支(지지)의 지장간 속에 일주의 기운을 생조하는 오행상 동기를 만나면 강해지는데 이를 통근(通根)하였다고 합니다.

5) 삼합이나 육합 및 간합이 되는 오행이 일주를 생조 하면 신강이 되고, 반대로 극해하면 신약이 됩니다.

신강 및 신약의 판단은 이상 다섯 가지를 모두 종합하여 결정하여야 하는데, 실제 사주를 감정해 보면 구별하기 곤란한 경우가 있으며 사주쟁이 노릇을 수십년한 대가들도 틀리는 경우가 종종 있습니다

상생과 상극의 세력이 비등할 때는 월령에 중점을 많이 두는데 즉, 월령이 비겁이나 인성이면 신강이고, 월령이 재관이나 식상이면 신약으로 보면 적중률이 높습니다.
대체로 사주팔자 중에서 일주를 생조하는 육신과 극해 또는 누설시키는 육신의 숫자를 비교하여 그 많고 적음에 의하여 신강 및 신약을 구분하되 중점은 월지에다 많이 두어야 합니다.

그리고 천간보다 지지가 힘이 3배나 강하다는 것을 염두해 두어야 하며, 월지의 힘은 천간에 비해 6배나, 9배 이상 강하며 년지나 일지나 시지보다 2배 내지 3배가 강한 것입니다.

23. 한눈에 파악하는 십신핵심도표

<table>
<tr><th></th><th></th><th>10신</th><th>生 克</th><th>남</th><th>여</th><th></th></tr>
<tr><td rowspan="2">비겁</td><td rowspan="2">나와비겁(신강)</td><td>비견</td><td>甲 甲
(같음)</td><td>남자형제
직장동료
친구
사촌</td><td>자매간
동료
시아버지
형제, 동서
사촌, 시숙</td><td rowspan="2">-형제, 친구, 동업자, 경쟁자
-약탈, 학교동창, 시기. 질투
-독주, 야망, 배신, 모략
-도난, 붕괴, 이혼, 재혼
-결탁, 동업
-겁재는 남매간이다
-좋을 때- 동업자요
-나쁠 때- 경쟁자, 원수다.
-용신이면 첩 꼴을 본다.</td></tr>
<tr><td>겁재</td><td>甲 乙
(다름)</td><td>남매간
이복형제
며느리</td><td>남매간
이복형제
시아버지</td></tr>
<tr><td rowspan="2">식상</td><td rowspan="2">내가준다(신약)</td><td>식신</td><td>甲 丙
丙을生</td><td>장모
할머니
손자
사위</td><td>자손(딸)
시누이
사위.조카</td><td rowspan="2">-식상이 발달하면 하극상
-구설. 관재. 식신은 구설임
-여자는 자식 문제로 고민
-쓸데없이 관여를 많이 함
-많이 퍼준다. (막 준다.)
-말을 잘한다. (제자)
-(여) 자기 맘대로 한다.
-(여) 말을 안 듣는다.</td></tr>
<tr><td>상관</td><td>甲 丁
丁을生</td><td>할머니
손녀
윗사람</td><td>자식.조카
할머니
시누남편</td></tr>
<tr><td rowspan="2">재성</td><td rowspan="2">내내가가극뺏함음(신약)</td><td>편재</td><td>甲 戊
戊를克</td><td>아버지
애인.첩
처갓집
고모</td><td>아버지
시어머니
시댁식구
아빠형제</td><td rowspan="2">-재물에 관련된 일
-부동산. 유가증권
-지적재산권. 능동적이다.
-탐욕. 관리. 통솔
-사업적인 욕망
-유산. 묵은 돈. 봉급
-기신이면 재물 복이 없다.</td></tr>
<tr><td>정재</td><td>甲 己
己를克</td><td>본처
처재.처남
형수.제수</td><td>아버지
시댁식구
시이모</td></tr>
</table>

관성	나내를가극빳함김(신약)	편관	庚 甲 甲을克	아들 매부 질녀.조카	재가남편 애인 시누이	-법. 질서와 규범이다. -공직자. 정계진출. 군경검 -합격. 승진. 직업. 명예 -투쟁. 소송. 구금. 납치 -폭행. 공갈. 피로감 -위법과 분쟁. 다루면 좋다. -질병과 사망
		정관	辛 甲 甲을克	딸.자손 질녀 매부	본남편 며느리 남편형제	
인수	내가받음(신강)	편인	甲 壬 壬이生한다	외숙 계모 이모 할아버지	계모 이모 할아버지 손자	-과하면 마마보이/없음 박하다. -어머니. 이모. 외삼촌(외가).인정 -선생님. 상사. 은인. 귀인. 시작 -수입. 문서. 창조. 기획. 연구 -언론. 방송. 통역. 번역. 정치 -의류. 서예. 증권. 수양. 학문 -매매. 고향. 주택. 가구. 소식 -아이디어. 집필. 섬유. 개업 -수동적
		정인	甲 癸 癸가生한다	어머니 장인 숙모 장인	어머니 손녀 사위	

24. 특정시간을 알 수 없거나 고아인 경우 태어난 시간 유추법

자시생 (子時生) - 23:30분 ~ 01~29분 (쥐) <야자시-23:30~00:29> <조자시-00:30~01:29>	
부모	부선망(父先亡)
용모	얼굴이 길다.
잠버릇	반듯하거나 엎드려 잔다.
가마	오른쪽
울음소리	급하고 높고 가늘다.
쌍가마	인(寅) 신(申) 사(巳) 해(亥) 월생

축시생(丑時生) - 01:30분 ~ 03~29분 (소)	
부모	모선망(母先亡)
용모	얼굴모양이 둥글고 턱이 둥글다. 얼굴이 두툼하고 신체 풍만하다.
잠버릇	옆으로 누워자는 습성
가마	왼쪽에 있다 (한개-머리에 경사진곳이있다) (두개-머리의 한폭판에 나란히 있다)
울음소리	느리다
쌍가마	자(子) 오(午) 묘(卯) 유(酉) 월생

인시생 (子時生) - 03:30분 ~ 05~29분 (호랑이)	
부모	부선망(父先亡)
용모	얼굴이 넓고 길며 입과 귀가 크다.
잠버릇	옆으로 누워 잔다.
가마	오른쪽
울음소리	높다.
쌍가마	진(辰) 술(戌) 축(丑) 미(未) 월생

묘시생 (丑時生) - 05:30분 ~ 07~29분 (토끼)	
부모	모선망(母先亡)
용모	얼굴 길고 좁으며 턱이 뾰족하다.
잠버릇	반듯하게 잔다.
가마	왼쪽
울음소리	급하고 가늘며 높다.
쌍가마	인(寅) 신(申) 사(巳) 해(亥) 월생

진시생 (子時生) - 07:30분 ~ 09~29분 (용)	
부모	부선망(父先亡)
용모	얼굴이 둥글고 크고 넓으며 신체 풍만.
잠버릇	옆으로 누워 잔다.
가마	오른쪽
울음소리	탁하다
쌍가마	자(子) 오(午) 묘(卯) 유(酉) 월생

사시생 (丑時生) - 09:30분 ~ 11~29분 (뱀)	
부모	모선망(母先亡)
용모	얼굴이 길고 키가 크다.
잠버릇	옆으로 누워 잔다.
가마	왼쪽
울음소리	높다.
쌍가마	진(辰) 술(戌) 축(丑) 미(未) 월생

오시생 (子時生) - 11:30분 ~ 13~29분 (말)	
부모	부선망(父先亡)
용모	얼굴이 길다.
잠버릇	반듯하게 누워 잔다.
가마	오른쪽
울음소리	높고 가늘고 길다
쌍가마	인(寅) 신(申) 사(巳) 해(亥) 월생

미시생 (丑時生) - 13:30분 ~ 15~29분 (양)	
부모	모선망(母先亡)
용모	얼굴 두텁고 신체가 풍만, 얼굴이 둥글고 넓다
잠버릇	옆으로 누워 잔다.
가마	왼쪽
울음소리	느리다
쌍가마	자(子) 오(午) 묘(卯) 유(酉) 월생

술시생 (子時生) - 19:30분 ~ 21:29분 (개)	
부모	부선망(父先亡)
용모	얼굴이 넓고 두터우며 신체 풍만.
잠버릇	옆으로 누워 잔다.
가마	오른쪽
울음소리	느리다
쌍가마	자(子) 오(午) 묘(卯) 유(酉) 월생

해시생 (丑時生) - 21:30분 ~ 23~29분 (돼지)	
부모	모선망(母先亡)
용모	얼굴이 길고 키가 크다.
잠버릇	옆으로 누워 잔다.
가마	왼쪽
울음소리	
쌍가마	진(辰) 술(戌) 축(丑) 미(未) 월생

신시생 (子時生) - 15:30분 ~ 17~29분 (원숭이)	
부모	부선망(父先亡)
용모	키가 크고 위엄이 있다.
잠버릇	옆으로 누워 잔다.
가마	오른쪽
울음소리	높다
쌍가마	진(辰) 술(戌) 축(丑) 미(未) 월생

유시생 (丑時生) - 17:30분 ~ 19~29분 (닭)	
부모	모선망(母先亡)
용모	얼굴이 길고 턱이 뾰족하다.
잠버릇	반듯하게 누워 잔다.
가마	왼쪽
울음소리	급하고 높다
쌍가마	유(酉) 신(申) 사(巳) 해(亥) 월생

25. 일생을 순환하는 12개의 하늘기운 '12운성'의 활용

십이운성은 생명의 변화과정을 12단계로 나눠 나타낸 것입니다. 계절로 따지면 춘하추동, 인간사로 따지면 생로병사 정도가 될 수 있습니다.
십이운성의 주체는 천간이므로 각각의 천간이 만나는 지지에 따라 춘하추동, 혹은 인간의 생로병사에 해당하는 하나의 에너지를 가진다는 것입니다.
즉, 십이운성 이론은 천간의 에너지를 인간사의 각 단계에 대입하여 설명하려한 이론입니다.
다른 식으로 표현하자면 천간이 인간사(자연) 속에서 실현되는 양상이라고 표현할 수도 있겠습니다. 하늘에 순수무구하게 떠있던 천간이 인간사로 내려오면서 어떤 운동방식을 보이는가 라고도 말할 수 있겠습니다.
나무가 땅에 내려오면 어떤 방식으로 실현되는가? 나무는 언제 태어나고 언제 죽는가? 하늘의 쇠(金) 기운은 땅에 내려오면 언제 병이들고 언제 죽는가? 丙(병화)는 땅에 내려오면 언제 왕성해지고 언제 쇠약해지는가를 연구한 것이 바로 십이운성입니다.

"세기가 센 것은 좋은 것이고, 약한 것은 안좋은 것이다?" 혹은 "왕(旺)한 것이 좋은 것이고, 중이나 약한 것은 좋지 않은 것이다."고 생각하는 것은 동양 철학의 기본 개념 자체를 이해하지 못한 서양식 이분법적 사고의 결과입니다.
더 나아가 "음은 나쁘고 양은 좋다? 어둠은 물리쳐야 하고 해는 숭상해야 한다. 남자는 하늘이고 여자는 땅이니 여자가 꿇어라?" 하는 등의 소리는 유교주의적 관점입니다.
온전히 좋은 것도 없고, 온전히 나쁜 것도 없으며, 영원히 좋은 것 나쁜 것도 없는 것이 우주의 질서입니다.
달의 변화를 보고, 태극기의 태극 모양만 보더라도 쉽게 이해할 수 있습니다. 강한 것은 약해지고, 약한 것은 강해집니다. 극에 차면 바뀌고, 에너지는 돌고 돌며, 서로가 서로를 의지하여 꼬리를 물고 살아가는 것이 우주의 섭리이자 자연의 이치입니다.
마찬가지 십이운성의 이 힘의 세기도 인간사 각 단계의 특성을 표현하는 것일뿐 가치의 판단의 기준이 되어서는 안됩니다.
강하다고 좋은 것이 아닙니다. 약하다고 나쁜 것도 아닙니다.

* 12운성의 구성원리

십이운성은 천간이 어떤 특정 지지와 만났을 때 어떤 세력(에너지)을 가지느냐를 따지는 것입니다.
기준이 천간이고, 하나의 천간은 어떤 지지를 만날때마다 지지에 따라 다른 세력(에너지)을 가지게 됩니다. 지지가 12개니까 각 천간마다 총 12개의 세력(에너지)를 가지게 됩니다. 12개이니까 십이운성(十二運星)이라고 명명합니다.

갑목을 기준으로 설명하면

천간	지지	세력
갑목(甲)	해(亥)	장생
	자(子)	목욕
	축(丑)	관대
	인(寅)	건록
	묘(卯)	제왕
	진(辰)	쇠
	사(巳)	병
	오(午)	사
	미(未)	묘
	신(申)	절
	유(酉)	태
	술(戌)	양

갑목과 해수의 오행상의 관계는 해수가 갑목을 生 해주고 있는 관계입니다. 갑목 입장에서는 生(도움) 받고 있는 것입니다.

이를 십신(육친)으로 설명하면, 갑목 입장에서 해수는 인성 중에서도 편인에 해당합니다. 해수가 갑목을 生(도움)해 주므로 인성, 둘의 음양이 같으므로 편인입니다.
여기서 한 단계 더 나아간 것이 바로 십이운성입니다. 갑목-해수에 해당하는 십이운성은 장생(長生)입니다. 즉, 갑목은 해수(亥)를 만났을 때, 장생이라는 세력을 가지게 된다는 이야기 입니다.

* 12운성의 해석

장생(長生) : 처음 울음을 터뜨림, 자기 존재를 드러냄
목욕(沐浴) : 갓 출생한 아이를 씻김. 갇혀있다가 활발하게 빠져나옴
관대(冠帶) : 자기 색깔이 드러남. 청년기에 접어듦
건록(乾祿) : 부모를 떠나 독립함. 자기의 뜻을 실현함
제왕(帝旺) : 삶의 진정한 주인이 됨. 양보하지 않는 기운
쇠(衰) : 겉은 왕성하지만 속으론 기운이 약해짐
병(病) : 힘을 모두 씀. 병이 든 것 같은 쇠약
사(死) : 죽은 것으로 간주해도 좋을 정도로 힘
묘(墓) : 운동을 멈춘 상태. 묘에 들어감
절(絶) : 모든 것이 사라짐. 절단.
태(胎) : 형태는 없으나 존재의 시작. 잉태.
양(養) : 어머니의 뱃속. 존재의 확인

26. 12개의 주요 신살의 작용

12신살은 만세력에 각 기둥별로 연월일시에 따라 표기 되어 있으므로 참고하면 됩니다.

12신살에서의 작용은 다음과 같습니다.

* 지살은 사생지에서 발(發)하며 몸과 마음이 늘 불안합니다. 그 불안을 이기고자 하는 마음이 부평초처럼 나타나 움직임과 활동으로 표현됩니다.

이러한 지살의 움직임은 능동적이기보다는 약간 수동적입니다.

남의 부탁이나 또는 상황에 의해서 한 곳에 그냥 머물지 못하고 여기저기 돌아다니게 됩니다.

* 도화살은 유혹의 힘을 가지고 있습니다. 진중하지 못하며 가벼운 느낌을 줍니다.

타인에게 다정하고 화려하게 보이려 합니다. 자신의 끼를 잘 드러냅니다. 그래서 인기가 많습니다. 예전에는 유교적 입장에서 좋지 않게 보기도 했지만 현대사회에서는 다정다감하므로 인기가 있는 신살로 좋게 보게 되었습니다.

* 월살은 사묘지(四墓地)에서 발합니다. 자숙이 필요한 시기입니다.

게다가 월살은 어두운 밤의 달빛입니다. 난국을 돌파해야 하는 어려운 시기입니다. 어두운 길을 걷다보면 다치는 수도 있습니다. 그래서 몸을 다치지 않도록 건강을 조심해야 합니다.

월살을 침체살, 고초살, 장애살이라고 부르는 이유가 여기에 있습니다.

늘 마음이 답답하고 좌절감을 느낍니다. 종교나 초자연적인 일에 관심을 가지는 경우가 많습니다.

* 망신살은 사생지에서 발합니다.

원래 고집과 이집이 있는데, 이 시기에는 가치관이 흔들리고 정체성의 혼란을 겪습니다. 억지를 부립니다. 그러다가 망신을 당합니다.

남을 원망하는 마음이 생깁니다. 남의 눈치를 살핍니다.

자신의 내면적 동요로 자중지란에 빠지는 경우가 있습니다.

체면이나 염치를 따지지 않고 자기멋대로 행동한합니다.

자칫 심신을 망칠 수 있으니 조심해야 합니다. 수신하고 겸허해야 합니다.

* 장성살은 사왕지에서 발하는 기운이 왕성하고 진취적인 삶을 추구합니다.

아집과 고집이 강합니다.

안하무인격으로 만인 위에 군림하여 통솔하려 합니다.

자만심 때문에 타인과 불화할 수 있습니다.
미래보다 지금 당장을 생각하며 현실지향적입니다. 실천적입니다.
공격적이며 남에게 굽히기를 싫어 하므로 화합이나 타협에 문제가 있습니다.

* 반안살은 사묘지에 있습니다. 기본적으로 구두쇠입니다.
재물이 들고 남에 심리의 기복이 심합니다.
한편 반안살은 말 등에 올라타 있는 형상입니다. 기분이 상승해 있습니다.
내면에 출세욕과 명예욕이 꿈틀거립니다.

* 역마살은 사생지에서 발합니다. 진취적이고 활동적입니다. 능동적입니다. 분잡하며 일관성이 결여되어 있습니다.
산만하며 분주다망해도 결실이 적습니다.
즉흥적이며, 남들이 보기에 여기저기서 설친다는 느낌을 줍니다.
하지만 변화하려는 욕망이 강하고 활동적이므로 사회적으로 성공할 가능성을 함유하고 있습니다.

* 육해살은 사왕지에 있습니다. 그러면서 12운성의 사(死)에 해당합니다. 기운은 충천한데 내가 처한 위치는 죽음의

기운이 감도는 침체기입니다. 게다가 육해에는 육합을 방해하는 기운이 감돕니다.

마음 속에 구멍이 뚫린 듯 늘 허합니다.

마음에 한이 서려 있는듯 하면서도 마음 속에서 뭔가 기운이 자꾸 새어나가는 느낌을 가집니다.

그래서 마음이 급해지고 무엇이든 빨리빨리 처리하려고 합니다.

때로는 이러한 행동이 경망스럽게 보입니다.

* 화개살은 사묘지에서 발합니다. 겉은 화려한데 안은 송장입니다. 화개살은 시종살(始終殺)로 死와과 生은 늘 함께 하는 바, 자신의 재능을 새롭게 업그레이드 시키려는 욕망을 드러냅니다.

하지만 아직은 행동보다 생각이 많습니다.

원점회귀의 심리가 강합니다.

변명과 아집이 있습니다.

이상은 높고 마음은 고독합니다. 소극적입니다.

* 겁살은 밖에서는 호인이고 집에서는 독재자입니다.

팔랑귀입니다. 남의 말에 잘 속습니다.

투기심이 있으며, 남의 것을 급하게 내 것으로 만들려는 마음이 있습니다.

급하게 서두르다가 오히려 일을 망칩니다.
뭔가 새로운 것을 하고 싶은 마음이 강하게 작용합니다.

* 재살은 의기소침하는 경우가 많습니다. 신경이 예민합니다.
가끔 폭력성을 드러냅니다.
그런데 그 폭력성은 공격적인 것이 아니라 내면의 방어심리에서 나오는 것입니다. 상대방의 눈치를 보며 기분을 맞추어 주려고 합니다.
이해득실에 민감합니다. 그래서 가끔 이해득실에 민감해집니다.
가끔 남을 비방하며 헐 뜯습니다.

* 천살은 현실과 동떨어진 이상을 추구합니다.
자칫 공주병이나 왕자병에 걸리기쉽습니다. 남들이 추켜세우면 좋아합니다.
방자하며 성격이 까다롭습니다.
투쟁적이고 승부수를 잘 던집니다.
돌파구를 찾으려는 심리가 상당히 강합니다.
자신이 불리하면 끝까지 물고 늘어집니다.

12신살의 심리는 액면 그대로 활용하기보다는 오행과 십신의 심리에 양념으로 활용하면 통변에 도움이 됩니다.

참고]

1)사생지(四生地) 寅:화토의 장생지 申:수의 장생지 巳:금의 장생지 亥:목의 장생지 오행의 생지로 쓰이는 자리임

2)사왕지(四旺地) 子:수의 왕지 午:화토의 왕지 卯:목의 왕지 酉:금의 왕지 금,목,수,화,토가 각각 위의자리에 있을때 왕세를 띈다.

3)사고지(四庫地)辰:수의 무덤이며 창고이다.
戌:화토의 무덤이며 창고이다.
丑:금의 무덤이며 창고이다.
未:목의 무덤이며 창고이다.
금,목,수,화,토의 고지이며 묘이기도 하다.

27. 기타 신살의 활용

* 12지 범살 해설

살	성		쥐	소	호랑이	토끼	용	뱀	말	양	원숭이	닭	개	돼지
1	**고진살**	홀아비살(남)	1	1	4	4	4	7	7	7	10	10	10	1
2	**중혼살**	재취살(남)	4	5	6	7	8	9	10	11	12	1	2	3
3	**골쇠파살**	처가패살(남)	3	3	10	5	12	1	8	9	4	10	6	7
4	**과숙살**	과부살(여)	9	9	12	12	12	3	3	3	6	6	6	9
5	**재혼살**	재가살(여)	5	6	7	8	9	10	11	12	1	2	3	4
6	**골쇠파살**	시가패살(여)	6	4	3	1	6	4	3	1	6	4	3	1
7	**대패살**	대실패살	4	7	10	10	4	4	10	1	7	7	1	1
8	**대해살**	팔패살	6	9	12	12	3	3	6	6	9	9	2	3
9	**파쇠살**	파괴분산살	4	12	8	4	12	8	4	12	8	4	12	8
10	**망신살**	패가망신살	10	7	4	1	10	7	4	1	10	7	4	1
11	**대낭적살**	극해패살	4	8	10	4	4	10	6	8	8	2	2	10
			5	8	11	11	5	5	11	2	8	8	2	2
			9	10	12	9	9	12	6	10	11	6	6	11
12	**철소추살**	위험파살	12	9	7	8	12	9	7	8	12	9	7	8
13	**겁살**	흉격살	4	1	10	7	4	1	10	7	4	1	10	7
14	**상충살**	충돌살	8	9	10	11	12	1	2	3	4	5	6	7
15	**포태살**	산액살	2	3	4	5	6	7	2	3	4	5	6	7
16	**두대살**	인패살	5	6	7	8	9	10	11	12	1	2	3	4
17	**각답살**	골절통살	4	5	6	7	8	9	10	11	12	1	2	3
18	**함지살**	도화살	8	5	2	11	8	5	2	11	8	5	2	11

즉, 호랑이띠가 4월생이면 고진살이 되고, 포태살도 된다.

28. 운대에서 짝을 찾지못해 허망한 공망살 표

60갑자의 천간(天干)은 10글자, 지지(地支)12글자로 이루어져 있기 때문에 10개의 천간이 끝나는 구간까지 돌아도 짝을 이루지 못하는 2개의 지지가 존재합니다.

일				주						공 망
갑甲 자子	을乙 축丑	병丙 인寅	정丁 묘卯	무戊 진辰	기己 사巳	경庚 오午	신辛 미未	임壬 신申	계癸 유酉	술해 戌亥
갑甲 술戌	을乙 해亥	병丙 자子	정丁 축丑	무戊 인寅	기己 묘卯	경庚 진辰	신辛 사巳	임壬 오午	계癸 미未	신유 申酉
갑甲 신申	을乙 유酉	병丙 술戌	정丁 해亥	무戊 자子	기己 축丑	경庚 인寅	신辛 묘卯	임壬 진辰	계癸 사巳	오미 午未
갑甲 오午	을乙 미未	병丙 신申	정丁 유酉	무戊 술戌	기己 해亥	경庚 자子	신辛 축丑	임壬 인寅	계癸 묘卯	진사 辰巳
갑甲 진辰	을乙 사巳	병丙 오午	정丁 미未	무戊 신申	기己 유酉	경庚 술戌	신辛 해亥	임壬 자子	계癸 축丑	인묘 寅卯
갑甲 인寅	을乙 묘卯	병丙 진辰	정丁 사巳	무戊 오午	기己 미未	경庚 신申	신辛 유酉	임壬 술戌	계癸 해亥	자축 子丑

60간지의 시작을 10개단위로 구분하면 갑자(甲子)로 시작해서 계유(癸酉)로 끝나기 때문에 술해(戌亥)가 공망이 되며 총 6개의 공망이 존재합니다.

<결핍된 무언가를 얻고자 노력해도 비어진 자리를 메꿀수 없기 때문에

사주에 공망이 있는 분들은 항상 마음속에 허전함을 가지고 살아야 한다.>

29. 오행별 띠별 궁합을 맞쳐보기

*子(자) 쥐띠-(11월)		
1)일반 특성	- 모성애. 부성애가 강하다. - 사교적이고 눈치가 빠르며 강단이 세다. - 조그만 일에는 잘 놀라지만 큰일에는 대범하다. - 인덕이 없고 식성이 까다롭다. - 내부 말보다 외부 일에 강하고 얼굴 야윈 자가 많다. - 돈을 잘 꾼다.	
2) 장점	매력적이다. 상상력이 풍부하다. 신중하다. 정직하다. 겸소하다. 이지적이다. 영리하다. 독립적이다. 낭만 적이다. 독특하다. 정열적이다. 관대하다. 주변의 사람을 기쁘게 하려 노력한다. 몹시 긴장한다.	
3) 단점	공격적이다. 탐욕 스럽다. 방자하다. 의심이많다. 내성적이다. 캐묻기를 좋아한다. 항상 이익추구를 한다. 기회주의자이다. 불안을 감추지 못한다. 누구든 착취할 수 있다. 바겐 세일하는 가게는 그냥 지나치지 못한다.	
4) 직업	예술가. 슈퍼마켓 주인. 전당포 주인. 부동산 중개업자. 창녀. 사기꾼. 비평가 등	
5) 인연	- 가장 좋은 만남은 (용띠, 소띠, 원숭이띠) 이다. (용) - 쥐띠에게 힘을 준다. (소) - 안정감을 준다. (원숭이) - 꾀를 제공한다. - 다음으로 좋은 만남은 (돼지띠. 개띠. 뱀띠) 이다. - 토끼띠는 조금 노력이 필요하다. - 말띠와는 (상극)관계를 이룬다. - 개인주의인 말띠와는 이기적인 쥐띠와 충돌한다.	
6) 애정	용	좋은 금술이다.
	토끼	쥐가 평생 위험하게 잡혀 살 수 있다.
	범	힘겨운 만남이다.
	소	축복의 만남이다.
	쥐	그냥 다정한 만남이다.
	돼지	적당히 좋은 만남이다.
	개	이상주의적인 개와 안 될 것이 없다.
	닭	서로 힘든 만남이다.
	원숭이	최고의 결합이다.
	양	서로에게 형벌이다.
	말	결사 반대의 만남이다.
	뱀	무척 노력이 필요한 만남이다.

*丑(축) 소띠-(12월)		
1)일반 특성	- 부지런하고 건실하며 사기성이 없다. - 생선을 좋아하고 마음이 풍족한 편이다. - 원만한 두령급의 소유자이다. - 일 끝맺음에 절도가 있다. - 느리고 명예욕이 강하다. - 고집이 쎈 편이다.	
2) 장점	성실하다. 독립적이다. 참을성이 있다. 열심히 일한다. 능률적이다. 검소하다. 실제적이다. 책임감이 있다. 믿을 수 있다. 논리적이다. 정직하다. 균형이 있다. 자립적이다. 정체성을 내지 않는다. 조직적이다. 독창적이다. 이지적인 사색가다.	
3) 단점	완고하다. 오만하다. 권위적이다. 동작이 둔하다. 규범주의자다. 낭만이 없다. 거침없이 말한다. 화가 나면 폭발적으로 분노한다. 화가 나면 자신을 감당하지 못한다.	
4) 직업	숙련공. 농장 일꾼. 건축사. 요리사. 근로자. 외과의사. 주임상사. 경찰. 독재자.	
5) 인연	- 가장 좋은 만남은 (닭띠, 쥐띠, 뱀띠) 이다. (닭) - 보수주의자 완벽한 한 쌍이다. (쥐) - 평생 동안 충성을 다한다. (뱀) - 소의 비위를 맞추는 지혜가 있다. - 다음으로 좋은 만남은 (용띠. 토끼띠) 이다. - 소띠. 돼지띠는 노력이 필요하다. - 그리 좋지 않은 만남은 (말띠. 개띠. 원숭이 띠) - 원숭이는 무척 위험하다. - 가장 상극을 이루는 만남은 (양띠. 말띠) 다. (양) - 변덕을 참아 내기가 힘들다. (말) - 싸움으로 결판나게 된다.	
6) 애정	용	주도권 싸움에 서로 지쳐 버린다.
	토끼	괜찮을 것 같다.
	범	보통이다.
	소	보통으로 좋다.
	쥐	좋은 한 쌍이다.
	돼지	노력이 필요하다.
	개	조금 어려운 만남이다.
	닭	완벽한 한 쌍이다.
	원숭이	꾀를 감당하기가 좀 어렵다.
	양	끊임없이 싸운다.
	말	평생 도움이 안된다.
	뱀	좋은 결합이다. 소를 믿고 평화를 유지한다.

<table>
<tr><td colspan="3">*寅(인) 호랑이 -(1월)</td></tr>
<tr><td>1)일반 특성</td><td colspan="2">- 염세적이다.
- 통이 크고 불가적이다.
- 공격함과 방어형으로 필요한 일만 한다.
- 이기주의적으로 적을 많이 만든다.
- 성급하기도 하고 감상적인 추억에 잘 빠진다.
- 소원 성취 형이 많고 이질적인 동상이몽을 잘한다.</td></tr>
<tr><td>2) 장점</td><td colspan="2">용감하다. 배짱이 있다. 힘이 좋다. 혁신가다.
관대하다. 의리가 있다. 신념가다.
파워가 있다. 일관성이 있다. 지도자적 자격이 있다.</td></tr>
<tr><td>3) 단점</td><td colspan="2">반항적이다. 거칠다. 싸움꾼이다. 사례가 깊지 않다.

해를 끼친다. 완고하다. 천박함이 있다. 고집이 쎄다.
이기적이다. 의심이 많다. 너무 신중하기도 하다.
소견이 좁다. 너무 인생이 격렬하다.</td></tr>
<tr><td>4) 직업</td><td colspan="2">갱두목. 공사장 감독. 대장. 스턴트맨. 기관장. 공수 부대원. 투우사 등</td></tr>
<tr><td>5) 인연</td><td colspan="2">- 가장 좋은 만남은 (말띠, 개띠, 돼지띠) 이다.
(말) - 진실한 성격
(개) - 고난을 참아주기 때문에 좋다.
- 보통은 (쥐. 양. 호랑이) 이다.
- 상극을 이루는 만남은 (닭. 원숭이) 띠다.
- 좋지 않은 만남은 (소. 토끼. 뱀) 이다.
(소) - 힘이 강해 호랑이가 파멸할 때까지 물고 늘어진다.
(토끼) - 호랑이를 약 올린다. 그러나 범을 이해한다.
(뱀) - 지나치게 지혜로운 뱀은 호랑이를 칭칭 휘감는다.
(원숭이) - 장난기가 심한 원숭이는 거짓 충성으로 범을 바보로 만든다.</td></tr>
<tr><td rowspan="12">6) 애정</td><td>용</td><td>좋은 한 쌍이나, 나빠질 수도 있다.</td></tr>
<tr><td>토끼</td><td>교활한 토끼는 호랑이를 놀린다.</td></tr>
<tr><td>호랑이</td><td>서로 잘되는 듯하나 곧 끝장난다.</td></tr>
<tr><td>소</td><td>호랑이를 끝장 내려한다.</td></tr>
<tr><td>쥐</td><td>호랑이를 기쁘게 하려다 쥐는 녹초가 된다.</td></tr>
<tr><td>돼지</td><td>호랑이의 노력에 달려 있다.</td></tr>
<tr><td>개</td><td>훌륭한 한 쌍이다.</td></tr>
<tr><td>닭</td><td>호랑이는 닭을 구박한다.</td></tr>
<tr><td>원숭이</td><td>호랑이를 코너에 몬다. 다툼 불화가 지속된다.</td></tr>
<tr><td>양</td><td>호랑이는 양을 잡아 먹는다.</td></tr>
<tr><td>말</td><td>좋은 만남이다.</td></tr>
<tr><td>뱀</td><td>서로는 일지점이 전혀 없다.</td></tr>
</table>

<table>
<tr><td colspan="3">*卯(묘) 토끼 -(2월)</td></tr>
<tr><td>1)일반 특성</td><td colspan="2">- 눈이 맑고 수학적인 머리를 자랑한다. 잘 놀랜다.
- 청빈한 인내를 즐길 줄 아는 선비형 이다.
- 부모덕은 없으나 부모를 위할 줄 안다.
- 냉증. 알레르기성 체질이다.
- 두뇌가 민감하고, 예술적인 감각이 풍부하다.</td></tr>
<tr><td>2) 장점</td><td colspan="2">주의 깊다. 수단이 좋다. 우아하다. 신중하다. 붙임성이 좋다.
세련됐다. 사교적이다. 지성적이다. 진지하다. 분별력이 있다.
관대하다. 유순하다. 철저하다. 정직하다. 친구를 좋아한다. 상냥하다. 동정적이다. 직관력 있다. 적응을 잘 한다.</td></tr>
<tr><td>3) 단점</td><td colspan="2">망설인다. 감상적이다. 나약하다. 쉽게 화를 낸다.
피상적이다. 예측 불허 이다. 이기주의다. 속물적이다.
변덕스럽다. 주관적이다. 쾌락적이다. 손해를 안 보려 한다.</td></tr>
<tr><td>4) 직업</td><td colspan="2">모델. 실내 장식가. 수집가. 평론가. 기자. 변호사. 배우.
공증인. 암표상인. 여관주인 등</td></tr>
<tr><td>5) 인연</td><td colspan="2">- 가장 좋은 만남은 (양띠, 개띠, 돼지띠) 이다.
(양) - 취미가 같아서 좋다.
(개) - 진실해 잘 맞는다.
(돼 지) - 꼼꼼해서 좋은 짝이다.
- 소는 조금 좋은 편이다,
- 그리 좋지 않은 만남은 (용띠. 말띠) 다.
- (토끼)와 (뱀)은 노력이 필요하다.
- 가장 상극을 이루는 만남은 (닭. 원숭이) 띠다.
(닭) - 토끼는 닭의 허영을 참아내지 못한다.
(원숭이) - 평생 손해이다. (토끼가 원숭이의 속임수를 알기 때문에 간섭을 싫어한다.)</td></tr>
<tr><td rowspan="12">6) 애정</td><td>용</td><td>먼저 양보하는 쪽이 있으면 무난하다.</td></tr>
<tr><td>토끼</td><td>노력에 따라 친구처럼 좋아질 수 있다.</td></tr>
<tr><td>호랑이</td><td>서로 공격적이지만 서로를 이해한다.</td></tr>
<tr><td>소</td><td>서로 비유를 맞추지는 않아도 좋다.</td></tr>
<tr><td>쥐</td><td>쥐가 힘이든다.</td></tr>
<tr><td>돼지</td><td>물질적인 도움이 된다.</td></tr>
<tr><td>개</td><td>서로에게 끌리는 면이 있다.</td></tr>
<tr><td>닭</td><td>다투고 싸우는 일이 지속된다.</td></tr>
<tr><td>원숭이</td><td>평생 원숭이에게 이용당한다.</td></tr>
<tr><td>양</td><td>아주 좋다. 다툼이 없다.</td></tr>
<tr><td>말</td><td>홍청 망청과 낭비를 주의하면 좋다.</td></tr>
<tr><td>뱀</td><td>-</td></tr>
</table>

*辰(진) 용띠 -(3월)

1)일반 특성	- 대의적이고 공상적이다. - 신앙심이 두텁다. - 통이 크고 현실에 집착하지 않는다. - 신경질적인 경향이 강하다. - 실천적인 경향이 강하다. - 처세술에 뛰어나고 감정이 풍부하다.
2) 장점	정력적이다. 매력적이다. 강인하다. 격렬하다. 자기확신이 강하다. 운이 좋다. 직선적이다. 성공적이다. 주도 면밀하다. 이지적이다. 관대하다. 외향적이다. 활력이 있다. 열망이 강하다. 끊임없이 활동한다.
3) 단점	편협하다. 무모하다. 위압적이다. 요구가 많다. 자신감이 지나치다. 오만하다. 완고하다. 위협적이다. 재치가 없다. 불만족 스럽다. 성급하다. 낭만이 없다. 수다쟁이다. 쉽게 식상한다. 점상 궤도를 잘 벗어난다.
4) 직업	예술가. 건축가. 제조업자. 변호사. 의사. 상점주인. 성직자. 예언가. 갱. 대통령 등
5) 인연	- 가장 좋은 만남은 (쥐, 닭, 원숭이) 띠이다. - 유머 감각이 뛰어난 (뱀)과도 좋다. - 허풍 떨기 좋아하는 (닭)은 성공의 일조를 한다. - 책략이 뛰어난 (원숭이)는 (용)의 완전한 반쪽으로 용의 힘과 결합한다. - (양띠. 용띠) 만남은 노력이 필요하다. - 그저 그런 만남은 (토끼. 말) 띠다. - 상극을 이루는 만남은 (개. 돼지) 띠다.

6) 애정	띠	내용
	용	부부 싸움이 심하다.
	토끼	용의 노력이 필요하다.
	호랑이	노력에 달렸다.
	소	용을 신뢰하지 못한다.
	쥐	매우 좋다.
	돼지	평생 서로 도움이 않된다.
	개	서로 냉소 주의로 다툼을 이어간다.
	닭	좋다. 단, 용의 자유가 있어야 좋아진다.
	원숭이	좋은 관계이다.
	양	보통의 관계이다.
	말	보통의 관계이다.
	뱀	남자가 뱀이라면 덫에 걸리기 쉽다.

<table>
<tr><td colspan="3">*巳(사) 뱀띠 -(4월)</td></tr>
<tr><td>1)일반 특성</td><td colspan="2">- 성적으로 강한 연상을 보인다.
- 숨은 재주가 많고 두뇌가 명석하다.
- 이별을 잘하고 방황하는 성격이다.
- 유혹은 천부적으로 타고 났으며 허영심이 많다.
- 변덕이 심하고 비밀이 많다.
- 공격성이 발동하면 물, 불을 가리지 않는다.</td></tr>
<tr><td>2) 장점</td><td colspan="2">현명하다. 차분하다. 직관력이 있다. 인기가 있다. 카리스마적이다.
부드럽다. 우아하다. 매력적이다. 이타적이다. 심사숙고하다.
세련됐다. 조용하다. 분별력이 있다. 결단력이 있다.
겸손하다. 로맨틱하다. 자기 비판적이다.</td></tr>
<tr><td>3) 단점</td><td colspan="2">차갑다. 편집광적이다. 소유욕이 강하다. 질투가 심하다.
인색하다. 정직하지 않다. 너무 끈적거린다.
게으르다. 적의를 가지고 있다. 혼외정사의 소지도 있다.</td></tr>
<tr><td>4) 직업</td><td colspan="2">교사. 작가. 법률가. 정신과 의사. 철학과. 외교관. 중개업자. 정치가. 관상쟁이 등</td></tr>
<tr><td>5) 인연</td><td colspan="2">- 가장 좋은 만남은 (소, 닭, 용) 띠이다.
(소) - 인연은 행복하게 살수 있다.
(닭) - 닭과의 만남은 싸우면서 서로 보완하며 살게 된다.
(용) - 뱀이 지혜를 제공한다.
- 다음의 만남은 (개. 양. 쥐)띠다.
- (토끼. 뱀)은 보통의 관계로 그저 그렇다.
- (말. 원숭이)띠는 무척 노력이 필요하다.
- 가장 상극관계는 (호랑이. 돼지)띠다.
(뱀) - 호랑이의 횡포성을 참지 못한다.
(돼지) - 뱀의 지략을 참아내지 못하다.</td></tr>
<tr><td rowspan="12">6) 애정</td><td>용</td><td>좋은 한 쌍이다.</td></tr>
<tr><td>토끼</td><td>서로를 이해하는 결합이다.</td></tr>
<tr><td>호랑이</td><td>완전한 파멸이다.</td></tr>
<tr><td>소</td><td>뱀의 노력으로만 좋은 인연이 될수 있다.</td></tr>
<tr><td>쥐</td><td>좋은 만남이다.</td></tr>
<tr><td>돼지</td><td>뱀에게 꼼짝 못 한다.</td></tr>
<tr><td>개</td><td>뱀띠의 노력으로 가능성이 있다.</td></tr>
<tr><td>닭</td><td>서로 칭찬 한다.</td></tr>
<tr><td>원숭이</td><td>원숭이의 손에 달렸다. 벅차다.</td></tr>
<tr><td>양</td><td>지혜도 별수 없다. 서로의 길이 다르다.</td></tr>
<tr><td>말</td><td>무척 노력이 필요하다.</td></tr>
<tr><td>뱀</td><td>복잡한 사랑이다. 서로의 노력이 필요하다.</td></tr>
</table>

<table>
<tr><td colspan="3">*午(오) 말띠 -(5월)</td></tr>
<tr><td>1)일반 특성</td><td colspan="2">- 남자는 거국적이다.
- 정보수집에 뛰어나고 궤변에 능통하다.
- 음식이 까다롭다.
- 여자는 바람기가 많다.
- 물과 인연이 깊어 눈물이 많다.
- 신앙적이고, 겁도 많고, 현실도피주의자 이다.</td></tr>
<tr><td>2) 장점</td><td colspan="2">명랑하다. 섹시하다. 인기가 있다. 현실적이다. 정력적이다.
쾌활하다. 진취적이다. 성실하다. 재치가 있다. 사회성이 있다.
강건하다. 사교적이다. 기민하다. 실제적이다. 독립적이다.
설득력 있다. 스스로 안전을 책임진다. 항상 관심이 되게 한다.</td></tr>
<tr><td>3) 단점</td><td colspan="2">편협하다. 이기적이다. 요구가 많다. 혈기가 넘친다. 사례가 깊지 못하다.
변덕스럽다. 화를 잘낸다. 어린애 같다. 자기 중심적이다. 모순된 성격이다.
조심성 없다. 예측할 수 없다. 지구력이 부족하다. 실패를 두려워 한다.</td></tr>
<tr><td>4) 직업</td><td colspan="2">숙련공. 운전수. 약제사. 물리학자. 의사. 정치가. 모험가. 작가. 비행사. 바텐더 등..</td></tr>
<tr><td>5) 인연</td><td colspan="2">- 가장 좋은 만남은 (호랑이, 개) 띠이다.
(개와 말은 서로를 신경 쓰지 않기 때문에 아주 좋다. 허나 공범 의식을 함께
가진 서로는 그것이 좋은지를 잘 모른다.)
- 다음으로는 (원숭이. 돼지. 말) 띠다.
- 그러나 말끼리는 이기심으로 상당한 노력이 필요하겠다.
- (닭. 토끼. 용. 뱀)은 그저 그런 관계이다. (별로 좋지 않음)
- 쥐띠와는 상극관계이고
- 소띠와는 원수지간이다.</td></tr>
<tr><td rowspan="12">6) 애정</td><td>용</td><td>남자가 용이라면 좋으나, 여자가 용이라면 이기심으로 아주 나쁘다.</td></tr>
<tr><td>토끼</td><td>유흥. 주색오락에 휩쓸리거나 불륜이 될수도 있다.</td></tr>
<tr><td>호랑이</td><td>서로 이해 한다.</td></tr>
<tr><td>소</td><td>폭력과 충돌한다.</td></tr>
<tr><td>쥐</td><td>불똥이 튀는 인연이다. 욕망, 이혼으로 이어지는 삼류 드라마가 된다.</td></tr>
<tr><td>돼지</td><td>말의 이기심으로 고통을 당한다.</td></tr>
<tr><td>개</td><td>서로가 좋다.</td></tr>
<tr><td>닭</td><td>부부애가 없는 사랑이다.</td></tr>
<tr><td>원숭이</td><td>서로 믿지 못하는 애정 없는 만남이다.</td></tr>
<tr><td>양</td><td>말띠가 돈이 많다면 문제 없다.</td></tr>
<tr><td>말</td><td>사랑으로 이기주의를 극복한다.</td></tr>
<tr><td>뱀</td><td>사랑의 노력이 필요한 불행한 인연이다.</td></tr>
</table>

*未(미) 양띠 -(6월)	
1)일반 특성	- 거만스럽고 자존심이 무척 강한 편이다. - 타인에게 좋고 싫음을 내색하지 않는다. - 음식에 기호품이 있어 까다롭다. - 욕심을 내어서 까지 재물을 탐하지 않는다. - 학구파이다. - 현실적인 경제 문제에서는 자포자길 잘하는 편이다.
2) 장점	유순하다. 자비롭다. 온화하다. 창조적이다. 친절하다. 평화롭다. 진실하다. 이해심이 있다. 관대하다. 로맨틱하다. 품위가 있다. 적응력이 있다. 인내심이 있다.
3) 단점	소심하다. 책임감 없다. 의지가 약하다. 돈 관리를 못한다. 예민하다. 비관적이다. 무질서 하다. 잘 위축된다. 망설인다. 항상 뚱하다. 변덕스럽다. 연민에 잘 빠진다. 약속시간을 잘 안 지킨다. 남의 것을 아낄 줄 모른다,
4) 직업	기술자. 배우. 예술가. 정원사. 직업 댄서. 고급 매춘부. 가난뱅이. 기둥서방. 건달 등
5) 인연	- 좋은 만남은 (토끼. 돼지. 말) 띠이다. - (양)의 변덕도 어느 정도는 잘 참아 준다. - 다음으로 좋은 만남은 (뱀) 띠다. - (원숭이. 호랑이. 용) 띠는 조금 노력이 필요. - 않 좋은 만남은 (개. 닭. 쥐) 띠다. - (소)띠와는 상극관계이고 - (쥐)띠와는 원수지간이다.

6) 애정		
	용	양은 만족하나 용은 불만이다.
	토끼	아주 좋다.
	호랑이	양을 상처 입힌다.
	소	소의 현실과 양의 변덕이 충돌한다.
	쥐	서로 원수지간이다.
	돼지	금전으로 양을 통제하기에 달렸다.
	개	결혼은 안 좋다. 서로 상처를 준다.
	닭	사랑이 우선인 양은 일 하는 닭을 별로 안 좋아 한다.
	원숭이	적당히 좋다.
	양	서로 불평하면서 체념하며 산다.
	말	말의 능력에 사랑을 지속할 수 있다.
	뱀	양의 노력으로 결혼이 지속된다. 뱀이 부자라면 더 바랄 것은 없겠다

<table>
<tr><td colspan="3">*申(신) 원숭이띠 -(7월)</td></tr>
<tr><td>1)일반 특성</td><td colspan="2">- 약삭 빠른 인격이다.
- 직업을 갖기 꺼려한다.
- 단체성과 종족 보전에 뛰어난 힘을 발휘한다.
- 이기주의가 강한 성격의 일면도 있다.
- 환상과 낭만으로 항상 유머를 잊지 않는다.
- 숫자에 밝아 과학, 공학 계통에 적합하다.</td></tr>
<tr><td>2) 장점</td><td colspan="2">재빠르다. 이지적 이다. 독창적 이다. 낙천적 이다. 단호하다.
재미있다. 자신감 있다. 사교적 이다. 관찰력 있다
객관적이다. 풍자적이다. 이성적 이다. 창의력이 있다.
독립적이다. 사회적이다. 다재다능하다. 의로운 사람이다.</td></tr>
<tr><td>3) 단점</td><td colspan="2">교활하다. 비열하다. 비판적이다. 질투심이 많다. 장난 끼가 심하다.
날카롭다. 야심적이다. 복수심 강하다. 잘난 체 한다. 허영심이 심하다.
힘이세다. 협잡꾼이다. 참을성이 없다. 가짜 예술가다.
무모하다. 교묘하다. 의심을 받는 짓을 잘한다.</td></tr>
<tr><td>4) 직업</td><td colspan="2">투기꾼. 중개인. 사업가. 작가. CF감독. 상점주인. 외교관. 암표상. 사기꾼 등</td></tr>
<tr><td>5) 인연</td><td colspan="2">- 좋은 만남은 (용. 쥐) 띠이다.
(용) - 힘을 제공한다.
(쥐) - 길하다.
- 다음으로 좋은 만남은 (돼지. 개) 띠가 좋다.
- (원숭이. 양. 말) 띠는 노력이 필요하다.
- (소. 닭) 띠는 그저 그런 만남이다.
- (호랑이) - 띠와는 충돌하는 상극관계
- (토 끼) - 띠와는 서로 원수지간이다.</td></tr>
<tr><td rowspan="12">6) 애정</td><td>용</td><td>서로 사랑 한다.</td></tr>
<tr><td>토끼</td><td>서로 원수지간이다. (단, 재혼시는 길하다.)</td></tr>
<tr><td>호랑이</td><td>다툼이 많아 무척 어렵다.</td></tr>
<tr><td>소</td><td>원숭이의 끼를 버린다면 좋아질수 있다.</td></tr>
<tr><td>쥐</td><td>원숭이는 쥐보다 더 행복하다.</td></tr>
<tr><td>돼지</td><td>원숭이는 사랑을 받는다.</td></tr>
<tr><td>개</td><td>서로가 냉소적이라 결혼은 대체적으로 벅차다.</td></tr>
<tr><td>닭</td><td>왠지 서로가 행복하지 않다.</td></tr>
<tr><td>원숭이</td><td>완전한 공범자다. 서로 좋아질 수 있다.</td></tr>
<tr><td>양</td><td>영리한 원숭이의 사랑으로 지속된다.</td></tr>
<tr><td>말</td><td>애정 없는 결혼이 지속은 된다.</td></tr>
<tr><td>뱀</td><td>서로가 어려움을 극복하며 살아간다. 원숭이의 노력에 달렸다 하겠다</td></tr>
</table>

*酉(유) 닭띠 -(8월)	
1)일반 특성	- 성질이 괴팍하다. - 고집이 세고 성급하다. - 인정이 많은 편이다. - 꿈을 잘 꾸고 앞 일을 예지하는 초능력이 있다. - 새벽잠이 없고 불면증으로 고생한다.
2) 장점	의리가 있다. 이상이 크다. 신념에 확신이 있다. 모험심이 있다. 노력가이다. 거짓을 모른다. 상상력이 뛰어나다. 무에서 유를 창조하는 뛰어난 힘이 있다. 자신의 꿈에 대해서는 참으로 성실하다.
3) 단점	독선적이다. 의욕이 지나치다. 바른 말을 잘한다. 자랑떨기를 좋아한다. 몽상가이다. 사례가 깊지 않다. 낭비벽이 심하다. 인생의 굴곡이 심하다. 자신을 표현하는데 호전적이다. 자신의 내적 충고에는 약하다.
4) 직업	광고업자. 카페주인. 여행가. 미용 전문가. 의사. 깡패. 군인. 제비족 등
5) 인연	- 좋은 만남은 (소. 용. 뱀) 띠이다. - 보통 만남은 (돼지. 닭) 띠이다. (소) - 가정적인 소띠와는 행복하다. (용) - 세련미가 있다. (뱀) - 뱀띠와의 만남은 철학자가 된다. - 그리 좋지 않은 만남은 (말. 양. 쥐. 개. 원숭이) 띠다. - 상극을 이루는 만남은 토끼띠로 닭의 화려함과 허풍을 믿으려 않는다. - 호랑이띠와는 서로 도움이 안 된다.

6) 애정		
	용	이상이 일치한다.
	토끼	소심하여 닭에 화려함을 참지 못한다.
	호랑이	닭의 허풍을 참지 못한다.
	소	완벽한 한 쌍이다.
	쥐	닭의 낭비벽을 참지 못한다.
	돼지	닭이 너무 힘이 세다.
	개	잘난 닭을 비 웃는다.
	닭	서로 짜증스럽다.
	원숭이	원숭이 보다 닭이 행복하지 않다.
	양	일에 빠진 닭을 좋아하지 않는다.
	말	서로 그냥 그렇다. 닭이 상처를 더 입는다.
	뱀	서로 칭찬하며 산다.

*戌(술) 개띠 -(9월)		
1)일반 특성	- 잔인하면서 온순하고 순박하다. - 애정 표시는 솔직 담백하다. - 남자는 궤변에 능통하고 여성은 언어학에 일품이다. - 음량이 풍부하며 말싸움은 추종을 불허한다. - 다투고 나면 뒤 없고, 대의명분이 뚜렷한 개성파다. - 중상 모략에 자주 휘말리고 색욕에 강하다.	
2) 장점	강인하다. 헌신적이다. 믿을수 있다. 도움을 준다. 신뢰할 수 있다. 관대하다. 겸손하다. 지략이 풍부하다. 끈기가 있다. 책임감이 있다. 솔직하다. 품위가 있다. 주위가 깊다. 열심히 일한다. 너그럽다. 열정적이다. 생각이 깊다.	
3) 단점	냉소적이다. 고집이 세다. 심술이 궂다. 바른말을 잘한다. 방어적이다. 참을성이 없다. 반사회적이다. 싸우기를 좋아한다. 경계심이 많다. 부담스럽게 한다. 스스로를 괴롭힌다.	
4) 직업	노조원. 공사감독. 비평가. 성직자. 판사. 탐정. 정치가. 경영자. 도덕론자. 학자 등	
5) 인연	- 가장 좋은 만남은 (말. 호랑이. 토끼) 띠이다. - (개)띠의 냉소주의도 문제가 되지는 않는다. - 다음으로 좋은 만남은 (쥐. 돼지. 원숭이) 띠다. - 같은 (개)띠는 노력에 달렸다. - 않 좋은 만남은 (소. 닭. 양) 띠다. - (용)띠와는 자존심이 강한 최악의 만남. - (뱀)띠와는 원수지간이다.	
6) 애정	용	개의 현실적 성격과 이상주의가 충돌한다.
	토끼	개의 노력에 달렸다.
	호랑이	좋은 만남이 될 수 있다.
	소	혁명가인 개와 보수적인 소와는 조금 힘이 벅차다.
	쥐	개가 짖지만 않는다면 재미있는 부부가 될 수 있다.
	돼지	좋은 부부가 될 수 있다.
	개	좋은 궁합이나 종종 곤란을 겪게 된다.
	닭	남자가 닭이라면 결사 반대다.
	원숭이	이상주의자인 개와의 만남은 조금은 피곤할 것 같다.
	양	안 된다. 서로 비관적이다.
	말	결혼해도 좋다.
	뱀	개와 뱀은 원수지간으로 서로 상처를 많이 받는다.

*亥(해) 돼지띠 -(10월)		
1)일반 특성	- 시키는 일을 안하고 독창적인 일을 한다. - 독립 독선적이고, 하반신이 약하다. - 솔선형이며, 부모덕을 못 본다. - 즉흥적인 것을 시도하여 찬사를 받기도 한다.	
2) 장점	공평하다. 진실하다. 믿을수 있다. 예의가 바르다. 점잖다. 씩씩하다. 활발하다. 침착하다. 자신만만하다. 용기가 있다. 자상하다. 충동적이다. 사교적이다. 인기가 있다. 평화를 사랑한다. 발랄하다. 관대하다. 부지런하다. 적의를 숨기지 못한다.	
3) 단점	천박하다. 순진하다. 고집이 세다. 슬픔에 잘 빠진다. 얼뜨기다. 뻔뻔하다. 무방비 상태다. 관능에 빠지기 쉽다. 단순하다. 잘 속는다. 유혹에 약하다. 거절할 줄 모른다. 미래를 보지 못한다. 다른 소유물을 자기 것처럼 다룬다.	
4) 직업	의사. 건축가. 제조업자. 영화관계자. 작가. 화가. 연예인. 과학자 등	
5) 인연	- 가장 좋은 만남은 (토끼. 양. 호랑이) 띠이다. (토끼) - 언쟁을 피하기는 토끼띠가 좋다. (양) - 양의 변덕도 돼지띠에는 좋다. (호랑이) - 호랑이의 노력에 따라 좋아진다. - 다음으로 좋은 만남은 (원숭이. 개. 쥐) 띠다. - (소. 닭. 돼지. 말) 띠는 노력이 필요하다. - 가장 상극을 이루는 만남은 (뱀) 띠다.(뱀은 꾀로 돼지를 꽁꽁 감아 버린다.) - (용)띠와는 서로 원수지간으로 안 맞는다.	
6) 애정	용	서로 원수지간으로 안 맞는다.
	토끼	궁합 만점이다. (단, 돼지가 스스로를 잘 다스려야 한다.)
	호랑이	궁합은 좋으나 돼지가 존경하게 만들어야 한다.
	소	돼지가 절제만 할 수 있다면 좋은 만남이다.
	쥐	돼지가 공격성을 자제만 한다면 좋은 궁합이다.
	돼지	서로 양보하며 사는 좋은 부부다.
	개	둘다 관대해 지는 좋은 궁합이다.
	닭	남자가 닭이라면 안 어울린다. 닭이 힘이 세다. 여자가 닭이라면 가능하다.
	원숭이	가능성이 있다.
	양	돼지의 희생으로 궁합이 가능하다.
	말	말의 이기주의가 돼지를 이용한다.
	뱀	뱀이 돼지를 질식시키고 만다.

30. 숫자로 보는 수리운세

예) 양력생년월일이 1977년 5월8일인 경우
　　년도는 2024년일 경우

올해 운세
(2024년 + 양력생일(05월08일)) = 21 or 3 (2+0+2+4)= 8 and (0+5+0+8) = 13 (8 + 13) = 21 (2+1) = 3
내적잠재력
(1977년+양력생일(05월08일)) = 37 (1+9+7+7)= 24 and (0+5+0+8) = 13 (24 + 13) = 37
외적실행력
(음력생일반 더한다) = 6 (0+3+2+1) = 6

도출되는 운

1. 시작, 독립하는수	21.지도자가 되는 수	41.대업을 이루는 수
2.분리되는수	22.중도에 난관이 많은 수	42.고행이 따르는 수
3.이루어지는 수	23.해가 뜨고 승천하는 수	43.재산이 흩어지는 수
4.실패하는 수	24.출세와 재물을 쌓는 수	44.평지. 풍파가 생기는 수
5.이름을 날리는 수	25.자수성가 하는 수	45.크게 깨닫는 수
6.조상의 음덕이 있는수	26.영웅의 수	46.의지가 약한 수
7.독립심이 강한수	27.낙마 골절의 수	47.출세하는 수
8.강한 인내력으로 전진하는수	28.파란과 풍파의 수	48.덕이 있는 수
9.겉으로는 그럴듯하나 실속이 적은수	29.성공하는 수	49.일진, 일퇴의 수
10.공허해 지는 수	30.무정세월의 수	50.불행이 따르는 수
11.새출발 하는 수	31.나날이 번창하는 수	51.성함과 쇠퇴의 기복이 심한수
12.실천이 부족한수	32.귀인이 돕는 수	52.무에서 유를 낳는수
13.명철한 두뇌로 성공하는 수	33.용이 구름을 타고 오르는 수	53.외부 내빈의 수
14.흩어지는 수	34.파멸의 수	54.고통이 따르는 수
15.지도자의 수	35.온순 태평의 수	55.재해가 따르는 수
16.덕망이 있는 수	36.영웅 시비의 수	56.만사가 않되는 수
17.부귀와 명예가 따르는 수	37.부귀 명예가 따르는 수	57.노력하면 이루는 수
18.날로 번창하는 수	38.무예, 학자의 수	58.스스로 이루는 수
19.고생 끝에 낙이 오는 수	39.안락한 수	59.낙엽이 떨어지는 수
20.공허해 실속이 없는 수	40.공허한 수	60.노고가 많고 좌절에 빠지는 수

31. 만세력 해독하는 법

1) 만세력이란

지구는 우주의 일부분이며 우주로부터 많은 영향을 받고 있습니다. 그중에서도 가장 큰것이 태양의 주위를 돌면서 나타나는 사계절과 같은 것인데, 동양에서는 우리가 이렇게 우주로부터 받고 있는 영향을 음양오행이라는 5가지 기운으로 분류하여 설명하였고, 만세력은 어떠한 시간에 어떠한 음양오행의 기운이 우리에게 영향을 주고 있는지를 나타내는 측정표와 같은 것입니다.
따라서 만세력을 만들때는 정확한 천체의 관찰이 매우 중요한데, 놀라운 것은 고대 천문자료에 나타나는 측정자료에서도 지금의 것과 오차가 별로 없는 매우 정확한 관측자료가 발견되고 있다는 것입니다.

2) 만세력의 기준

많은 사람들이 오해하고 있는 부분이 만세력에서는 음력을 쓴다는 것인데, 만세력에서는 음력을 쓰지 않습니다. 아직도 음력설을 휴일로 지정하고 이때 제사를 지내는 것처럼, 예전엔 대부분 태음태양력인 음력으로 생일을 기억했기 때문으로 생각됩니다. 따라서 만세력을 볼 때는 음력생일을 양력으로 변환해야 하는데, 대부분의 만세력 사이트가 자동으로 변환해서 알려줍니다.

이렇게 만세력의 기준이 양력인 것은, 만세력이 지구가 우주에서 갖는 상대적 위치, 즉, 28수라고 불리는 별자리와의 상대적 위치를 나타내기 때문에 태양계의 위치와 태양계 내에서 지구가 갖는 상대적 위치 즉 공전주기가 기준이 되기 때문입니다. 따라서 지구에 의해 상대적 위치가 결정되는 달이 기준이 될 수는 없고, 만세력의 기준은 태양력이 됩니다.

3) 30분을 빼는 이유

만세력이 태양을 기준으로 하기 때문에 정확한 시간을 알기 위해서는 자신이 태어난 곳의 바로 위에 태양이 오는 때를 정오(12시)로 해서 시간을 정해야 합니다. 그런데 생활을 하면서 동네마다 시간이 다를 수는 없기 때문에 하나의 기준선 즉 시간기준선을 정해서 그 주변의 사람들은 그냥 자기와 가까운 시간기준선의 시간을 쓰기로 전세계가 약속을 하였습니다.
우리가 사는 한국과 가장 가까운 곳을 지나가는 시간기준선이 일본의 동경(동경135도)을 지나고 있는데 우리나라는 현재 이 동경시를 기준으로 시간을 정하고 있고 서울을 기준으로 실제 태양의 위치와 대략 32분 정도의 오차가 있습니다. 즉 우리가 현재 쓰는 시간은 일본의 동경 바로 위에 태양이 오는 시점을 정오, 12시로 하고 있으니 실제 서울 위로 태양이 오려면 32분 정도가 더 걸린다는 말입니다.(서울의 경도는 126도 정도이고, 1도당 4분의 차이가 발생합니다.)
따라서 만세력을 뽑을때는 실제 시간 즉 태양을 기준으로 하는 자신이 태어난 지역의 시간과 시간기준선과의 오차를 알아내서 더하거나 빼줘야 합니다. 강릉 같은 경우 이 시간 오차가 28분, 서울은 32분 정도입니다. 특히 시간이 자정 근처인 사람은 이 오차 때문에 사주가 완전히 바뀔 수 있으니 매우 신경써야 할 부분이다. 대부분의 만세력은 이 오차를 자동으로 계산해서 사주를 뽑기 때문에 본인이 직접 시간을 더하거나 뺄 필요는 없을것으로 보입니다.

4) 야자시란?

사주가 밤12시 근처에 걸려있는 사람들은 야자시 때문에 많이 헤깔려 합니다. 12시면 날자가 바뀌는데 사주에서 날자가 바뀌는 기준이 자정인지, 자시인지 잘 모르기 때문입니다.
현재 우리나라에서는 시간기준선 문제로 실제 자시는 11:32분부터 01:32분까지이다.(서울-동경126도 기준) 그리고 사주에서 일의 기준은 자시이기 때문에 11:32분부터 날이 바뀌는 것으로 봐야 합니다. 즉 야자시냐 아니냐 복잡하게 생각할 필요없이 자시가 되면 날자가 바뀐다고 생각하면 됩니다.
예를 들면(서울 기준, 동경시와 32분 차이),
1월 27일 23시 30분에 태어난 사람은 32분의 오차를 감안해서 자시가 23:32분부터 2시간이니, 자시가 아직 안되었기 때문에 1월 27일 해시가 사주가 되고, 1월 27일 23시 35분에 태어난 사람은 23:32분으로 자시가 지났기 때문에 만세력 상으로는 날이 바뀐 1월28일 자시가 사주가 됩니다. 사주를 뽑을때 정확한 시간을 말하지 않고, 자시요, 사시요 하면서 자신이 직접 사주를 말하는 경우가 있는데 경험상 잘못 알고 있는 경우가 많이 있습니다. 특히 그중에서도 자시라고 말하는 사람은 사주 자체가 완전히 달라지기 때문에, 그냥 정확한 날짜와 시간을 기억하고 있는 것이 차라리 더 좋겠습니다.

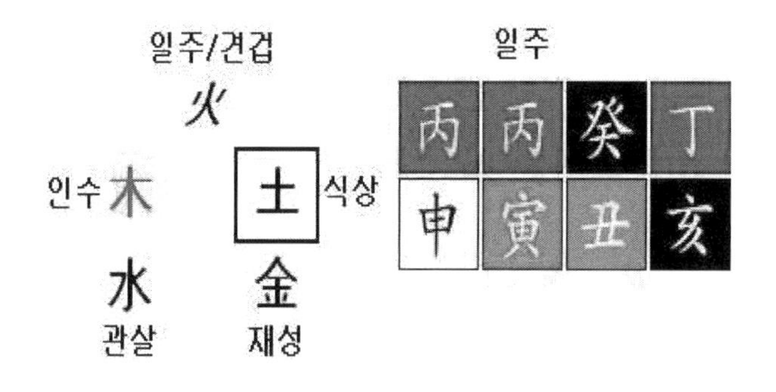

5) 사주의 구성

사주는 년월일시를 나타내는 4개의 기둥으로 구성 되어있고, 다시 각각의 기둥은 하늘을 뜻하는 천간, 땅을 뜻하는 지지 2글자로 되어있습니다. 그래서 모두 8글자가 되기 때문에 사주팔자라고 합니다.
아래는 2008-01-27일 신시의 사주이고 왼쪽의 도표는 육친도라고 하여 사주를 분석하는 도식입니다.

사주

천간과 지지는 다시 음양오행, 목화토금수(木火土金水)를 뜻하는 여러개의 글자로 구성되며, 오행은 모두 고유의 색을 가지고 있는데, 푸른색은 목(木), 붉은색은 화(火), 황색은 토(土), 흰색은 금(金), 검은색은 수(水) 를 나타내니, 위 사주는 천간이 3개의 화, 1개의 수로, 지지가 수, 토, 목, 금, 각 1개씩으로 구성되어 있습니다.
음양오행을 나타내는 글자 중 천간은 모두 10글자, 지지는 12글자로 되어있고, 첫번째 즉 홀수번째 글자가 양, 짝수번째 글자가 음으로, 다음과 같습니다.(목화토금수의 순서로 나열되어 있음)

천간

목(木)	화(火)	토(土)	금(金)	수(水)	
갑	**병**	**무**	**경**	**임**	**===> 양**
甲	丙	戊	庚	壬	
을	**정**	**기**	**신**	**계**	**===> 음**
乙	丁	己	辛	癸	

지지

목(木)화(火) 토(土) 금(金)수(水)

인	사	진	술	신	해 ===> 양
寅	巳	辰	戌	申	亥
묘	오	미	축	유	자 ===> 음
卯	午	未	丑	酉	子

6) 일주와 육친

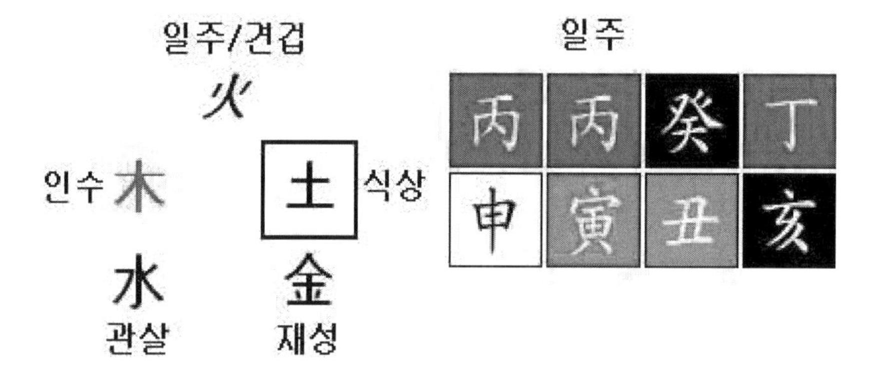

사주는 자기 자신뿐만 아니라 자기자신을 둘러싸고 있는 기세와의 조화를 나타내고 있는데, 사주 중에서 일주가 자기자신을 의미합니다. 그리고 육친은 자기자신과 상대하고 있는 기세, 존재들을 뜻하는데 비겁(견겁), 식상, 재성, 관살, 인수 5가지로 구분합니다.

위 그림에서는 일주에 나타나 있는 붉은색 병(丙)이 일주입니다. 즉 사주 중 일주의 천간에 나타나 있는 것(오행)이 일주가 되는 것입니다.
그리고 일주의 오행 즉 화를 중심으로 화, 토, 금, 수, 목, 오행의 순서를 차례대로 배열한 그림이 왼쪽의 육친도인데, 제일 위가 일주, 견겁의 자리이고, 그 다음부터 순서대로 식상, 재성, 관살, 인수의 자리가 됩니다. 여기서는 일주, 견겁의 자리에 화가 앉아있고 관살의 자리에는 수가 앉아 있는데, 사람에 따라, 즉, 일주의 오행이 무엇이냐에 따라 나머지 육친의 오행도 바뀌게 됩니다.
아래는 각각의 육친이 의미하는 바를 개략적으로 정리한 표입니다.
(성별에 따라 다르게 의미하는 부분도 있음)

육친	의미
일주/비겁	나, 형제, 친구, 독립
식상	자식, 일, 활동력, 부하
재성	아버지, 부인/여자, 재물(돈), 여유
관살	남편(여자), 직장, 관(공직), 형식, 뜻, 명예
인수	어머니, 스승, 공부, 집(집안), 문서(증권), 계약

7) 육친의 해석

사주를 분석하려면 육친과 왕세/용신을 알아야 합니다. 다만 그 분석의 방법은 쉽지 않으니, 여기서는 왕세와 용신이 결정 되었을때의 해석 방법을 봅니다. 사주에서 가장 강한 세력이 왕세가 되는데, 숫자가 많은 오행이 무조건 왕세가 되는건 아니라는 것을 반드시 알고 있어야 합니다.

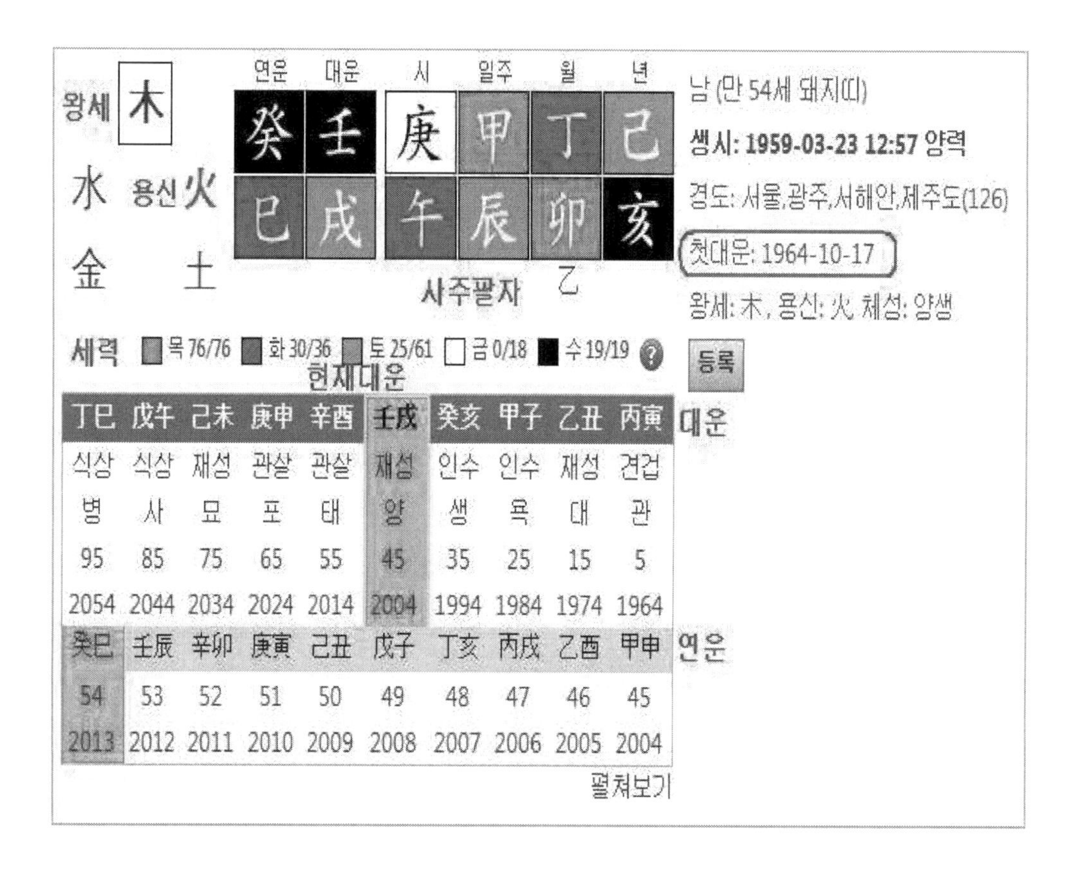

많은 사람들이 제 사주에는 뭐가 너무 많아요 라는 말을 하는데, 숫자만 많이 있지 실제로는 허세뿐인 경우가 많고, 진짜 많다 해도 길신이기 때문에 오히려 더 들어올 수록 좋

은 것이 있으니 결코 섣불리 판단해서는 안됩니다.

위 사주는 나무가 꽁꽁 언 땅위에서 축월 즉 한 겨울을 견디고 있는 모습으로, 토(네모)가 왕세 즉 가장 강한 세력이 되며, 따뜻한 여름의 나무 즉 목화가 용신이 됩니다.(빨간색)
여기서 용신이란 가장 강한 능력을 써먹을 수 있도록 해주는 요소, 나에게 가장 필요한 요소를 의미합니다.
위 사주를 해석하면 내가 가진 능력 중 토의 기세가 가장 강한데 이것을 용신인 목화로 활용하고 살라는 뜻이 되며, 육친으로 해석하면 식상이 일, 활동을 뜻하고, 인수가 배움, 지식 등을 의미하니, 나의 가장 강한 능력인 활동력, 일에 대한 욕심을 공부하여 뒷받침 하라는 뜻이 됩니다.
그런데 식상, 인수는 이것 외에도 다양한 의미를 가지고 있고, 또 오행과 결부지어 해석을 해야 하기 때문에, 위의 해석은 여러가지 가능한 것 중 단지 하나에 불과하고, 실제 자신의 상황에 따라 해석이 달리해야 합니다.
용신, 길신이 정해지면, 궁합을 봐도 용신으로 즉 위 사주에서는 목, 화 왕자와 궁합을 맞추고, 이사를 가도 목, 화 방향으로 하고, 직업을 선택해도 토의 세력을 목, 화로 쓸 수 있는 직업을 선택하고, 택일을 해도 목, 화가 들어오는 때로 하는 등 사주를 활용하는 핵심이 되니, 육친도와 왕세와 용신은 꼭 필요하다 하겠습니다.

8) 대운

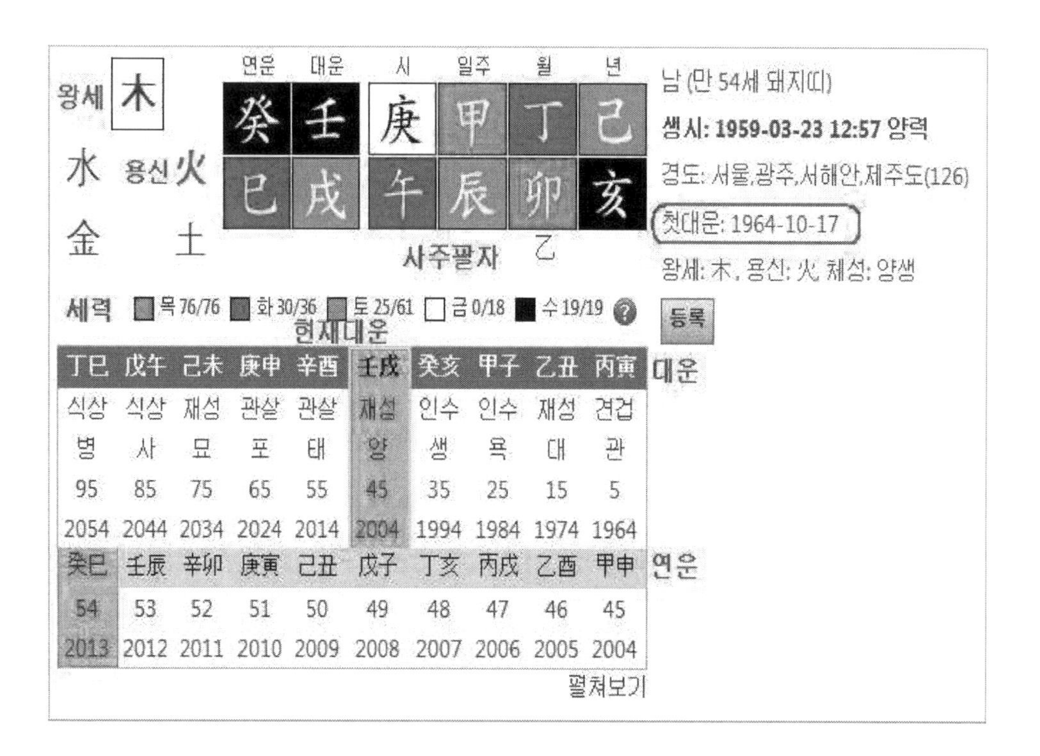

丁巳	戊午	己未	庚申	辛酉	壬戌	癸亥	甲子	乙丑	丙寅
식상	식상	재성	관살	관살	재성	인수	인수	재성	견겁
병	사	묘	포	태	양	생	욕	대	관
95	85	75	65	55	45	35	25	15	5
2054	2044	2034	2024	2014	2004	1994	1984	1974	1964

癸巳	壬辰	辛卯	庚寅	己丑	戊子	丁亥	丙戌	乙酉	甲申
54	53	52	51	50	49	48	47	46	45
2013	2012	2011	2010	2009	2008	2007	2006	2005	2004

만세력에서 사주와 함께 반드시 나와야 하는 것이 대운인데, 대운은 태어날 때의 기세가 아닌 태어난 후에 변화하는 기세를 나타냅니다.
변화하는 기세의 가장 큰 단위가 대운으로 10년을 단위로 바뀌는데 사람마다 다르고, 그 다음이 년운인데, 돼지띠, 소띠 등으로 흔히 사람들이 알고 있는 1년 단위의 정해년, 무자년, 기축년 등의 세운으로 , 이것은 모든 사람에게 동일하게 적용됩니다.
그리고 다시 월, 일, 시까지 내려가는데 워낙 기간이 짧으니 그렇게 큰 의미는 없습니다.
(물론 사주에 따라 영향력이 다를 수는 있습니다.)

위의 만세력에서 아래부분에 나오는 것이 대운이고, 오른쪽에 동그라미 된 부분의 대운시작일이 첫번째 대운이 시작되는 날자가 됩니다. 이날을 기준으로 10년마다 대운이 바뀌게 되는데 그 아래에 나오는 것이 오른쪽에서 왼쪽으로 10년마다 변화하는 대운을 나타낸 표입니다.
대운은 맨 오른쪽부터 시작하는데, 대운시작일인 1971년부터 첫대운인 을미 대운이 시작합니다. 사주는 지지를 중요하게 보는데, 지지의 글자는 오행으로 토이고, 토가 육친도에서 식상의 자리에 있으니 이 사람은 첫대운이 식상운이 됩니다. 하지만 천간도 완전히 무시될 수는 없으며 상황에 따라 비춰봐야 합니다.

대운의 종류는 비겁, 식상, 재성, 관살, 인수 다섯가지가 있고 오행이 번갈아 들어옵니다.

비겁대운 : 자신을 나타내는 기운을 비겁이라고 합니다. 따라서 비겁운이 오면 자기 자신의 기운을 보태주는 것이기 때문에 자신의 능력이 커집니다, 자존심이 강해집니다, 독립한다는 등의 해석이 가능합니다. 흉으로 볼 때는 기고만장, 고집불통 등으로 해석 됩니다. 자기 자신과 동급인 형제, 친구, 경쟁자, 동업자 등의 의미도 됩니다.

식상대운 : 나로부터 나오는 것, 자식(여자의 경우), 내 능력을 활용하는 것을 의미입니다. 말, 행동, 일, 활동 등. 식상이 강한 사람은 활동력이 강하다고 볼 수 있으나, 경우에

따라 실제 돌아다니는 활동력이 아니라, 지적인 사고력 등 정적인 활동력이 강하다고도 할 수 있습니다.

재성대운 : 흔히 재, 재운이라고 부르는 것으로, 보통 재물, 아버지 등을 의미하고 남자에게는 여자, 부인 등의 의미도 됩니다. 재가 길신에 해당하는 사람은 재복이 있다고 하고, 재가 흉에 해당하는 사람은 재복이 없습니다, 흉한 재(빚)을 가지고 있다고 볼 수 있으니 길흉을 따지지 않고 무조건 재운이 좋다고 하면 안되는 것이죠.

관살대운 : 관이란 것은 나를 견제, 구속하는 존재를 의미합니다. 내가 맞춰서 살아야 하는 틀, 형식, 여자에게는 남자(남편) 등의 의미인데, 직장, 법과 같이 내가 따라야 하는 사회적 관계, 틀 등의 의미가 기본이며, 공무원, 군인 같이 그런 형식이 강한 직업의 의미로 많이 해석을 하지만 무조건 공무원이다로 해석하면 안되는 것이죠.

인수대운 : 집안, 어머니, 공부, 문서, 스승 등의 의미. 어려서는 대부분 공부, 집안, 어머니의 의미로 해석을 하고, 나이가 들면 문서의 의미도 보아야 합니다. 예를 들어 주식투자, 계약 등과 같은 의미도 되는데, 재산을 현금이 아닌 문서(집문서, 증권)로 보유한 사람도 많기 때문에 재산의 의미도 볼 수 있습니다.

32. 사주의 격을 정하는 법

사주에서 용신을 정하기 위해서는 무엇보다 격을 잘 찾아야 합니다.
일간과 격국의 조화를 이루어 강한것과 약한것이 중화된 사주로 만들기 위해서 용신이 필요한 것입니다.
그러므로 사주 전체를 추명할때 가장 기본이 되는것이 격국과 그에 다른 용신을 찾는것이라 생각합니다.
격에 따라서 용신이 다르고 맞이하는 대운에 따라서 용신의 쓰임새가 다르게 활용되므로 대운과 사주명식.그리고 격국을 잘 살펴야 하는 것입니다.
격국을 정한 후 억부로 용신을 정할것인지, 통관으로 할것인지, 조후로 할것인지를 결정하는 것입니다.
격을 잡는 가장 기본이 되는 원칙은 이렇습니다.

1) 월지가 子午卯酉의 왕지인 경우 월지의 힘이 다른 어떤 오행보다 강하므로 천간으로 투출된 오행이 없다하더라도 정기(본기)를 격으로 합니다.

2) 월지가 寅申巳亥의 생지인 경우 월지의 지장간에서 투출한 것이 격인데 만약 본기가 아닌 중기나 여기가 투간된 경우 월지의 본기와 투간한 천간의 세력을 비교해서 강한 것을 격으로 합니다.

3) 월지가 辰戌丑未의 고지인 경우 지지에 삼합국이나 방

합국이 있으면 그것을 격으로 정하고 국을 이루지 못한 경우에는 월지에서 뿌리를 두고 투간한 것이 있으면 그것이 격이 됩니다. 만약 국을 이룬것도 없고 뿌리를 두고 투간한 것도 없으면 월지장간의 정기(본기)를 격으로 정합니다.辰戌은 본기가 戊토이고 丑未는 본기가 己토입니다.
월지가 고지인 경우 잡기격이라고 하는데 그 이유는 월령의 지장간에 기운이 여러개가 모여 섞여있다해서 잡기격이라 합니다.

잡기격에는 세 가지가 있습니다.
정기에 재관인중 하나를 암장하고 있는데 잡기재격, 잡기정관격, 잡기인수격입니다.

여기서 반드시 알아야 하는 점은 월지의 정기가 일간의 비견겁재가 아닌데 비견겁재가 천간으로 투출한 경우 비견겁재로 격을 정하지 않습니다.
예를 들어서 丑월 庚금이라면 丑중에서 辛금이 투간을 한 경우 辛금이 庚금의 겁재이므로 격으로 정하지 않는다는 얘기 입니다.
그리고 丙일간이 午월이라면 子午卯酉 왕지라서 정기(본기)를 기준으로 겁재를 격으로 삼게되며 양인격이라고 합니다.

모든 격에는 성격(成格)이 있고 파격(破格)이 있습니다.

1) 四길신은 (재.관.인 식)수용하는 것으로 용신을 삼으면 성격이고 어쩔 수 없이 극하는 것으로 용신을 잡으면 파격입니다.

2) 四흉신은 (살.상.효.양인)역용하는 것을 우선으로 용신을 잡으면 성격이고 어쩔 수 없이 상생하는 것으로 용신을 잡으면 파격입니다.

3) 여기.정기.중기 중에서 본기(정기)가 투출하면 무조건 격으로 삼고 여기와 중기는 투출한 것으로 격을 잡는 것입니다.

4) 여기나 중기 중에 동시에 투출이 되었다면 강한것으로 (월지에 사령했거나 주변 상황을 판단해서) 격을 잡습니다.

5) 여기.중기.정기 모두 투출하지 않았다면 우선적으로 월지를 격을 정하고 또는 지장간 중에서 가장 강한 것을 격으로 정합니다.

6) 자오묘유월은 대표적으로 아무것도 투출하지 않았다 하더라도 월지를 격으로 잡습니다.

7) 진술축미월은 월률분야 아무것도 투출하지 않고 음양이

틀린 오행만 투출했다면 예를들면 甲→乙, 丙→丁 그것을 격으로 정합니다.

8) 정기는 상관없지만 여기나 중기가 투출하여 합이나 충을 하거나 또는 극하여 그 세력이 약해지는 경우는 격으로 정하는 것은 재고 해 봐야 합니다.

9) 인신사해월은 그 여기가 모두 戊토인데 그 戊토는 임시로 해결하기 위한것이므로 그것을 격으로 정하지 않고 단지 巳월의 戊토 만이 힘이 있다고 보아서 격으로 삼는 이론이 있습니다.

10) 사길신(財.官.印.食)은 순용하고 생부(生扶)하는 인성과 비겁으로 하는 것이 좋고, 극하는 것은 忌神인데 그 기신을 극.충.합(제화)하는것을 희신이라고 합니다.
그 희신이 원국에 있으면 성격이 되었다고 하는것이고 사흉신(살.상.효.양인)은 역용이라하여 극.충.합.(제화)가 좋고 생부하는 인성이나 비겁이 기신인데 그 기신을 극.충.합.(제화)하는 것을 구신이라고 합니다.

11) 정재용 비겁격은 정재격인데 비겁을 용하는 것이 억부용신인데 격국용신은 파격이라고 하는 것입니다.(四길신은 순용하여야 하는데 극하는 것을 용신으로 함)
칠살격은 역용해야 하는데 그것을 생부하는 정, 편재, 관살은 기신이 됩니다.

사주원국에 격을 깨는 기신이 있으면 구신이 있어야 하고, 그 구신이 없으면 일을 해도 되는 일이 없고 일생이 곤고하다고 합니다.
구신(救神)은 기신을 제화하는 작용을 하는 것입니다.
구원하는 신이라는 뜻입니다.
운에서 일시적으로 구신이 오면 일시적으로만 운이 오면 호전됩니다.
(원국에 기신이 있다면 구신이 함께 있어야 좋습니다.)

33. 자신에게 가장 필요한 오행찾기 '용신법'

용신(用神) : 중화를 이루는데 가장 필요한 오행
희신(喜神) : 일주가 기뻐하는 오행. 용신을 돕는 오행
(용신희신은 대동소이하니 총칭하여 용신 또는 희신이라고 합니다.)
기신(忌神) : 태왕하고 설기되지 않는 오행, 용신을 극하는 오행
구신(仇神) : 희신을 극하는 오행 또는 기신을 돕는 오행
(기신구신은 대동소이하니 총칭하여 기신이라고 합니다.)
한신(閑神) : 때로는 용신을 돕고 때로는 기신을 돕습니다.

1) 용신찾는 요령

인간의 운명을 감정하는 데는 그것을 보는 핵심적인 기준이 있는데 그것을 용신이라 합니다. 다시 말하면 사주팔자에 나타난 본인의 운명에 어떤 것이 가장 이로운 역 할을 하고 있느냐 하는 것을 찾아보는 것이 용신입니다. 예를 들어 목(木)인 사람이 여름에 출생하여 사주가 덥고 건조하게 구성되어 있다든지, 사주중에 금(金)이 많아 심하게 자신을 극해 온다면, 해갈을 위해서나 금(金)의 극을 피하고 생명을 공급받기 위해서나 수(水)가 필요하게 되는데, 이럴때 사주에 수(水)가 있는 것을 용신이라 합니다.

그러니까 용신이란 사주에 있어서 그 사람에게 가장 필요

한 요소이며, 전 생애를 통하여 볼 때는 삶의 조건 또는 생명력과도 같은 것입니다.
사주를 볼 때에 먼저 용신부터 파악해야 한다는 것은 필수적인 조건이며 가장 중요한 작업으로 되어 있습니다.
명리학 공부를 아무리 많이 하였더라도 용신을 제대로 잡을 줄 모른다면 그것은 마치 장님이 코끼리 더듬는 것이나 다를 바가 없습니다.

용신은 여러 가지 형태로 나타나고 있습니다.
사주팔자 중에 어느 한 글자가 용신이 되는 경우도 있고, 오행(五行)중의 하나가 용신이 되는 경우도 있으며, 사주가 구성되어 있는 전체적인 구조 자체가 용신이 되는 경우도 있습니다.
용신이 될 수 있는 기준은 언제나 모든 사주에서 일주(日柱)를 중심으로 도와주고 이롭게 하는 것만이 용신이 될 수 있습니다.

a) 일주가 약할 때는 도와주고 거들어 주는 것이 용신입니다.
b) 일주가 강할 때는 억제하여 주는 것이 용신입니다.
c) 일주가 강하고 억제하는 오행이 무력하거나 아주 없을 때에는 빼주는 것이 용신입니다.
d) 사주가 오행 중 하나의 기(氣)로만 이루어졌을 때는 도와 주는 것이나 빼주는 것이 용신입니다.
e) 일주가 극약하거나 완전 무근 무기(無根 無氣) 할 때에

는 주중의 왕신(旺神) 또는 왕세(旺勢)가 용신입니다.
f) 일주가 유근 유기한데 주중에 괴롭히는 오행이 있을 때는 그것을 억제시켜 주는 것이 용신입니다.
g) 주중에 들어 있는 오행들이 상생관계를 이루지 못하고 답답하게 되어 있을 때에는 그것을 유통시켜 주는 것이 용신입니다.
h) 사주가 지나치게 덥거나 추우면 그것을 풀어주고 막아주는 것이 용신입니다.
용신은 '용신을 잡는다' '용신을 정한다'라고 표현을 많이 합니다.
물론 종합적으로 고려해야하는 것은 당연합니다.

2) 용신을 정하는 방법 파악하기
용신의 개념을 담아두었다면 용신을 정하는 방법에 대해 살펴보기로 합니다.용신을 정하는 방법은 다양할 수 있습니다. 그러나 일반적으로 몇 가지 방법이 존재하는데 여기서는 이를 소개하기로 합니다.
각 방법은 방법론적인 측면에서는 서로 독립된 성격을 지니고 있습니다.
다만 최종적인 용신을 정함에 있어서는 상호 보완적인 성격을 지니고 있으며, 이를 종합하여 고려하되, 최종적인 판단은 당사자의 여러 사정도 아울러 살핀 후 최종적으로 역학자가 내려야할 것입니다.
용신은 월지 지장간에서 잡는 것이 좋습니다.
격국용신이나 조후용신이랑 같이 보면되고, 천간에 투출되어야 용신으로 쓸수 있다고 봅니다.
비견 겁재는 용신에세 제외하는 것이 좋습니다.

a) 조후용신법->계절의 조화를 파악
b) 억부용신법->사주의 강약을 판단
c) 종용신법->특정오행의 강함을 판단
d) 통관용신법->세력의 균형오행을 판단
e) 병약용신법->오행의 부족, 과다, 없음을 판단

조후용신법이란 사주에서 계절의 조화를 이루어 판단하는 방법입니다. 추운 계절에 태어나서 전체적으로 사주가 춥다면 따뜻한 기운이 필요하고, 더운 계절에 태어나서 전체적으로 사주가 덥다면 서늘한 기운이 필요한 것을 말합니다. 또한 사주의 건조함과 습함을 고려하는 방법이기도 합니다. 사주학이 계절학이며 절기학이라는 점에 비추어볼 때, 조후용신법의 중요성이 강조된다 할 것입니다.

억부용신법이란 사주에서 강하고 약함을 나(일간)를 기준하여 판단한 후, 나(일간)를 돕는 기운이 강하다면 조금 이를 약하게 만들고, 약하다면 이를 조금 강하게 만들어 전체적 균형을 맞추어 판단하는 방법입니다. 억부용신법은 사주의 강약판단에 기초한 섬세한 판단이 수반되어야 됩니다. 현대 대부분의 용신판단에서 억부용신을 가장 중요하게 다루고 있다고 생각됩니다.

종용신법이란 사주에서 특정성분이나 육친이 지나치게 강해진 경우에 이를 따르는 방법을 말합니다. 즉, 어떤 기운이 지나치게 강해지면 오히려 이를 빼앗아 조절하기 보다는 이를 따라 현명하게 전체를 판단함이 옳은데 종용신법이 바로 그것입니다.

통관용신(通關用神)이란 사주에서 특정성분의 두 세력으로 크게 나뉠 경우 이를 중재할 수 있는 역할을 하는 오행이 있으면 균형을 이룰 수가 있습니다. 이러한 경우에는 둘 사이를 중재하는 오행을 용신으로 잡으면 좋은데, 이러한 방법을 두고 통관용신법이라고 한다.

병약용신법이란 특정오행이 부족하거나 과다할 경우, 없는 경우에 건강이나 그 밖의 문제가 생기는 것을 방지하기 위한 방법으로 용신을 정하는 방법을 말합니다. 다만 병약용신의 경우에는 억부용신에서 그 정도가 지나친 정도를 고려하여 판단하는 방법으로서 큰 틀에서는 억부용신의 범위 내에 속합니다.

34. 사주에서 각 자리에 위치한 궁을 확인하는 '궁성법'

사주팔자의 구성원리				
태생	시	일	월	년
	7	5	3	1
천간	丙	壬	己	癸
	8	6	4	2
지지	午	戌	未	亥
가족	아들 딸	나 배우자	아버지 어머니	할아버지 할머니
나무	열매	꽃	줄기	뿌리
인생	말년운	중년운	청년운	초년운
상하	후배 부하	본인	윗사람 선배	기관의장 우두머리
사회	후대	가정 국민	사회	국가
수리	정	이	형	원
배우자	여자:시댁 남자:처가	본인:배우자 중말년운	여자:친정 남자:집안	선조조상 우두머리
공간	밖, 사업장, 직장	거주지	집안	멀리(외국 등)
방향	남쪽	중앙	안쪽	북쪽
우주	시공간	지구	달	해
환경	현재있는곳(거주지)		거주지와반대	

35. 뿌리, 줄기, 꽃, 열매를 확인하는 근묘화실

* 사주 팔자는 사람이 태어난 년, 월, 일, 시를 각각의 간지로 표현한 것을 말합니다.

< 실 화 묘 근 >

時	日	月	年
4-1	3-1	2-1	1-1
4-2	3-2	2-2	1-2

<근묘화실>
* 태어난 해를 년주로- 근묘화실의 근에 해당하며 육친으로는 조부모를 나타냅니다.
* 태어난 달을 월주로- 근묘화실의 묘에 부분으로 새싹을 나타내며, 육친으로는 부모를 나타냅니다.
* 태어난 날을 일주로- 근묘화실의 꽃에 해당하는 부분으로 열매를 맺기 위한시기로 자신을 나타냅니다.
* 태어난 시간을 시주로- 근묘화실의 열매에 해당하는 부분으로 육친으로는 자식을 표현합니다.

<세분하면>

1-1: 년간	조부	년주는 조상, 고향, 첫인상이나 어머니의 품을 나타내기도 함.
1-2: 년지	조모	
2-1: 월간	부친	월주는 사회성을 나타내며 직업을 의미하며, 자신의 활동무대.
2-2: 월지	모친	
3-1: 일간	자신	일주는 현재 자신이 머무는 자리를 의미하기도 함.
3-2: 일지	배우자	
4-1: 시간	자식	시주는 미래의 자신이 머물 자리임.
4-2: 시지	자식	

<지지의 합과 충에 따른 해석>

1) 년지와 월지의 충 : 월지의 행위를 위해 고향을 떠난다는 의미를 지니거나 부모가 조부모와 연이 박해 고향에 살지 못하고 타향으로 전전하는 것으로 볼 수도 있습니다.
예컨대 월지가 인성이라면 학업을 위해 어린나이에 고향을 떠난 것으로 해석을 하거나 모친이 들어옴으로 분가를 하는 경우로도 해석이 가능합니다.

2) 일지와 월지의 충 : 월지는 어머니궁이기도 하지만 사회성이나 직업을 나타내는 곳이라 아내가 남편의 직업에 대해 못마땅하게 생각하여 비협조적이다라고 해석이 가능합니다.

3) 일지와 월지의 합 : 아내가 남편의 직업에 직접 협조하며 도움이 되고 있다고 해석이 됩니다.

4) 시지와 일지의 충 : 미래를 위해 현실적으로 어려움을 감내하는 것으로 해석이 됩니다. 아니면 자식으로 인해 부모에게 문제가 생기기도 합니다.

<부친과 모친 찾기>

	시	일	월	년
천간	食神(식신)		偏財(편재)	比肩(비견)
	戊무토	丙병화	庚경금	丙병화
지지	子자수	申신금	寅인목	子자수
	正官(정관)	偏財(편재)	偏印(편인)	正官(정관)
지장간	壬 癸 편관 정관	戊 壬 庚 식신 편관 편재	戊 丙 甲 식신 비견 편인	壬 癸 편관 정관

*위명식에서 병화일간의 모친은 인목이 됩니다.

*부친은 모친인 인목과 동주하고 인목을 극하는 경금이 부친이 됩니다.

<시어머니와 시아버지 찾기>

	시	일	월	년
천간	偏印(편인)		正官(정관)	劫財(겁재)
	庚 경금	壬 임수	己 기토	癸 계수
지지	子 자수	申 신금	未 미토	巳 사화
	劫財(겁재)	偏印(편인)	正官(정관)	偏財(편재)
지장간	壬 癸 비견 겁재	戊 壬 庚 편관 비견 편인	丁 乙 己 정재 상관 정관	戊 庚 丙 편관 편인 편재

*임수 일간의 남편은 임수를 극하는 기토가 됩니다.

*시어머니는 남편을 낳은 분이므로 남편인 기토를 생하는 사화가 됩니다.

*시아버지는 시어머니를 극하면서 시어머니인 사화와 동주하면 계수가 됩니다.

*이처럼 시아버지나 시어머니는 남편을 찾은 다음 연관해서 찾아나가면 됩니다.

36. 각궁의 위치에 따른 사주통변법

	60~말년		40~60세		20~40세		0~20세	
	시(時)		일(日)		월(月)		년(年)	
천간	시간	9	일간 1	2	월간 5		년간	7
지지	시지	Z	일지 4 8	Y	월지 3 . 6	X	년지	W

1. 사주의 특징과 성격을 판단해 봅니다.

2. 일주(일간+일지)를 판단 합니다.

3. 직업을 판단 합니다.

오행과다 과소판단 (木火土金水)과 십신판단 (재물운, 애정남녀운 ,관운)

4. 상대방(부부궁)판단을 판단해 봅니다.

사주의 남자운, 여자운 판단 - 일지와 가깝고 (형충파해)가 없을수록 재물

5. 부친과의 인연(덕)을 판단 합니다.

6. 모친과의 형제 자매와의 인연(덕)을 판단 합니다.

7. 집안 조상내력 가문을 판단 합니다.

8. 형제 자매, 인덕, 대인관계, 사회생활을 판단하게 됩니다.

9. 자식운, 말년운, 말년복을 판단해 봅니다.

10. 세운(올해운)을 판단 합니다.

11. 대운을 판단하게 됩니다.

12신살 (각종살)도화살, 역마살, 천을귀인 등

올해 좋은 것 - (매매, 이동, 관운, 합격, 장사, 재물 등)

조심해야 할 것 - (관재, 사고수, 교통사고, 산, 물, 건강 등)

음양오행 배치와 세운의 (합,충,형,파,해)등을 판단하여 건강과 건강운 판별

* WXYZ 주변 인간과의 조화를 봅니다.

W(대장과의 관계)X(매니져와의 관계)

Y(자신의식)Z(가족직원관계)

W(과거의 삶)X(젊은시절)Y(현재의 삶)Z(미래의 삶)

37. 일주에 따른 특성 일주론

갑자일주(甲子)
매사 자신감이 넘치고 냉정과 열정 사이를 오가는 사람

갑인일주(甲寅)
말수가 적고 품위가 있지만 친해지기 힘든 사람

갑진일주(甲辰)
매우 성실하지만 애교없고 무뚝뚝한 사람

갑오일주(甲午)
허세기질 강하고 낭만적이지만 실수투성이인 사람

갑신일주(甲申)
마음이 수시로 변화하는 히스테리컬한 사람

갑술일주(甲戌)
능글맞은 미소를 짓으며 사람들에게 애교떨면서 이익을 노리는 사람

을축일주(乙丑)
먹는 것을 좋아하고, 인내심이 강하고 자상한 사람

을묘일주(乙卯)

야무지면서 직선적이지만, 사교성 좋은 사람

을사일주(乙巳)
매우 바람기 많고 낭만적이며 매력적인 사람

을미일주(乙未)
애교있고 끈기있으나, 호불호가 뚜렷하고 계산적인 사람

을유일주(乙酉)
집중력과 생활력이 강하지만 뭔가 비밀이 많은 사람

을해일주(乙亥)
모범생 스타일로써, 인상은 시원하지만, 은근히 욕심도 많은 사람

병자일주(丙子)
외모가꾸기에 관심많고, 은근히 까다로우면서도 호방한 사람

병인일주(丙寅)
권위주의적이면서도 다정해서 타인에게 베풀기 좋아하는 사람

병진일주(丙辰)
안정적이고 단정하며, 도덕성이 강하면서도, 권모술수에도

능한 사람

병오일주(丙午)
열정적이며, 솔선수범하려하며, 저돌적인 경향이 강한 강백호 스타일

병신일주(丙申)
미적감각, 멋을 추구하며, 사교성이 충만하나, 다소 변덕이 심한 사람

병술일주(丙戌)
생활력 강하고 현명한 인물들이 많음. 관후하면서도 다소 까칠함

정축일주(丁丑)
예술가들이 많으며, 마음은 관대하지만 매우 건방지고 불같은 기질있음

정묘일주(丁卯)
기회주의적인 성향이 많으며, 엉뚱한 의심이 많아 친해지기 어려운 사람

정사일주(丁巳)
타인을 제압하려는 기질이 강하며, 사교성이 많고 능력있는 사람

정미일주(丁未)
인정이 많고, 부드럽고 자상하면서도, 문명(文明)에 밝은 사람

정유일주(丁酉)
재치, 감각있고 막말하는 경향있으며 너무 천진난만한 기질이 강함

정해일주(丁亥)
포용력이 투철하지만, 너무 남들보다 잘 살아가려는 욕심이 강함

무자일주(戊子)
신비주의자이며, 돈을 추구하는 이기성 강함. 무뚝뚝해서 친해지기힘듬

무인일주(戊寅)
세상을 정복하려는 모험가 기질 있으며, 다소 허세기질이 강한 사람

무진일주(戊辰)
인내심과 의지가 강력하여, 스스로 삶을 개척하는 고집쟁이들

무오일주(戊午)
정신적으로 약한듯 보이는 분들이 많으나, 사업가로서 성공한 인물들이 많음

무신일주(戊申)
섬세하며 마음이 따뜻하면서도, 세상을 평정한 영웅들이 간혹 있음

무술일주(戊戌)
소박하고 담백하며 실속적인 분들이지만, 은근히 자기자랑을 많이 하는 사람

기축일주(己丑)
직선적이며 의심 잘하며, 스스로 내성적으로 인생을 독행하려는 사람

기묘일주(己卯)
꼼꼼하며, 사람을 가려서 사귀면서도, 세심한 예술가 스타일들

기사일주(己巳)
목적을 이루기 위하여, 누군가 자신에게 무언가 해주기를 바라는 사람

기미일주(己未)

공공을 위해서 적극 봉사하는 사람들이 많음. 때론 센스가 없기도함

기유일주(己酉)
대담해 보이며, 우유부단하면서도, 열정적이고 욕망이 강한 사람

기해일주(己亥)
명랑하고 온순하며, 의지가 굳건하지만 다소 망설임이 많은 사람

경자일주(庚子)
소박하며 차분한 성격의 소유자들이지만, 자신의 이익을 많이 추구하는 사람

경인일주(庚寅)
포부가 굉장히 커서, 늘 활동 스케일이 크면서도 뻔뻔한 기질 있음

경진일주(庚辰)
성공하려는 포부 굉장히 큰 분들이며, 궤변, 해학에 뛰어난 기질있음

경오일주(庚午)
성격이 수시로 변하는 분들이 많으며, 미적(美的)인 것을

좋아함

경신일주(庚申)
늘 가만히 있질 못하고, 여기 저기 활동을 해야 직성이 풀리는 사람

경술일주(庚戌)
신사숙녀형으로써 타인을 위해 봉사하는 분들이 많고 냉정한 기질있음

신축일주(辛丑)
겸손한 분들이며, 고집세고 사람을 시험하려는 기질 있음. 독특한 사람

신묘일주(辛卯)
착하면서도 직선적인 경향 있지만, 다소 까다롭고 답답한 사람이 많음

신사일주(辛巳)
허세기질 강해 자기 멋에 죽고 사는 사람들. 타인과 쉽게 친해지기힘듬

신미일주(辛未)
자상하면서도, 얼음장같이 날카로워 질 때는 밑도 끝도 없는 사람

신유일주(辛酉)
고상하고 굳세며, 타인을 위하는 마음 강하고, 트러블메이커가 많음

신해일주(辛亥)
낭만주의자이며, 자존심과 고집 무척 강함. 호불호도 뚜렷한 편임

임자일주(壬子)
매력적이고 호색적인 사람들이며, 진취적이고 화가 날땐 무서움

38. 실제 사주 푸는법 해설

* 사주를 뽑고 작성하는 법

1) 이름과 남녀(남자는 건명, 여자는 곤명)를 구분하여 적습니다.
2) 생년월일을 음력이나 양력으로 구분하여 적고 태어난 지역을 적습니다.
3) 만세력에서 사주팔자를 뽑고 연주, 월주, 일주, 시주 순서대로 적습니다.
4) 대운수와 대운을 적습니다.
- 年이 양이면 남자는 순행, 여자는 역행합니다. 年이 음이면 남자는 역행, 여자는 순행합니다.
- 대운은 자연법을 보는 것이므로 태어난 달부터 시작합니다.
- 대운은 지지가 중요, 지지가 인묘진, 사오미, 신유술, 해자축 등 우주의 계절을 중요시 합니다.
따라서 지지를 중심으로 보면서, 천간도 같이 보는 것입니다.
5) 만세력을 보는 연도부터 과거 5 년간과 미래 3 년간을 적습니다.

* 사주를 분석하는 법

1) 천간의 합충을 찾아 적습니다.

. 천간합 - 정관(남편)과 정재(아내)의 만남
(甲己土, 乙庚金, 丙辛水, 丁壬木, 戊癸火)
천간충 - 편관(칠살)을 만나는 경우로 서로 만나면
싫어하여 충돌하는 관계를 말합니다.
특히 일간과의 충돌이 운명에 크게 영향을 미칩니다.
(甲庚沖, 乙辛沖, 丙壬沖, 丁癸沖, 戊己沖)
(갑무충, 을기충, 병경충, 정신충, 무임충, 기계충)

2) 지지의 합충을 찾아 적는다.

. 지지육합 - 성격상 배합을 이루는 두 사람의 사이로 서로
좋아하는 관계를 말합니다.
(子丑土, 寅亥木, 卯戌火, 辰酉金, 巳申水, 午未火)
* 지지삼합 - 사상이나 생각이 비슷한 사람끼리의 만남이라
볼 수 있습니다.
(寅午戌火, 申子辰水, 巳酉丑金, 亥卯未木)
* 지지방합 - 계절의 합을 말합니다.
봄 : 인묘진, 여름 : 사오미, 가을 : 신유술, 겨울 :

해자축

* 암합 - 은밀하게 만나는 합을 말하는 것으로, 지장간의 글자가 천간과 합을 하거나, 지지와 합하는 것을 말합니다.

* 천간과 지장간의 합에는 정해(정임합), 무자(무계합), 신사(병신합), 임오(정임합)가 있습니다.

* 지장간끼리의 합

. 자술합 - 자의 지장간 임계, 술의 지장간 신정무가 만나 무계화과 정임목을 이룹니다.

. 축인합 - 축의 지장간 계신기, 인의 지장간 무병갑이 만나 병신합과 갑기합과 무계합을 이룹니다.

. 묘신합 - 묘의 지장간 갑을과 신의 지장간 무임경이 만나 을경합을 이룹니다.

. 오해합 - 오의 지장간 병,기,정이 해의 지장간 무, 갑,임이 만나 갑기토와 정임목을 이룹니다.

. 인미합 - 인의 지장간 무,병, 갑이 미의 지장간 정, 을, 기와 만나 갑기토를 이룹니다.

3) 지장간을 분석합니다.

. 인신사해(寅申巳亥)는 역마살로 초기는 모두 무토가

중기는 다음 계절의 역마가, 정기는 자체오행이 됩니다.
인 : 무병갑, 신 : 무임경, 사 : 무경병, 해 : 무갑임
. 자오묘유(子午卯酉)는 그자체 오행이 초기와 정기를
구성합니다. 오는 예외입니다.
자 : 임계, 오 : 병기정, 묘 : 갑을, 유 : 경신
. 진술축미(辰戌丑未)는 명예살과 화개살로 초기, 중기,
정기를 모두 포함하여 잡기라 부릅니다.
초기는 전달의 기운을 중기는 전계절의 중심글자(도화살인
자오묘유)를 정기는 자체오행을 적습니다.
진 : 을계무, 술 : 신정무, 축 : 계신기, 미 : 정을기

4) 각종 신살을 분석합니다.

12 지신살은 살이라는 용어가 있으나, 누구나 사주에 있는
글자이기 때문에 살에 근심할 필요는 없습니다.
. 암기법 : 겁재천지연월망장반역육화
겁살, 재살, 천살, 연살, 월살, 망신살, 장성살, 반안살,
역마살, 육해, 화개
. 신 : 신자신, 사 : 사유축, 인 : 인오술, 해 : 해묘미
. 천문성 : 묘술해미
. 백호대살 : 갑진, 을미, 병술, 정축, 무진, 임술, 계축

. 양인살 : 병오. 무오. 임자
. 괴강살 : 경진. 경술. 임진. 무술. 무진. 임술
. 귀문관살 : 진해. 자유. 미인. 사술. 오축. 묘신

5) 각종길신을 찾는다.

천을귀인. 태극귀인. 천복귀인. 천덕귀인. 월덕귀인.
천덕합. 월덕합 건록. 암록. 문창. 12 운성의 장생좌 등

6) 음양오행을 분석합니다.
. 많은 오행과 없는 오행을 봅니다.
. 갑갑병존. 갑갑갑삼존. 갑갑갑갑사존 [병존. 삼존.
사존이란] 같은오행이 나란히 붙어있는 것을 말하는데
나란히 하는 오행의 갯수에 따라 2 개면 병존. 3 개면 삼존.
4 개면 사존이라고하고 통상적으로 병존은 부정적인
의미로 사용되고. 삼존이나 사존은 귀격으로 긍정적인
면으로 해석하기도 합니다.

7) 육친을 분석 합니다.

8) 일간과 월지 및 일지의 특성을 봅니다.

9) 격국의 특성을 봅니다.

10) 대운과 세운을 살펴봅니다.

11) 용신과 희신을 살펴봅니다.

. 용신과 희신은 명리학에서 가장 중요한 역할을 담당하는 용어라고 볼 수 있습니다.
. 명리학에서 가장 중요한 기능인 미래의 일을 예측하려면 희용신을 정확하게 알아야 다가올 운세가 본인에게 유리하게 전개되는지 불리하게 적용되는지를 알기 때문입니다.
. 희용신이 만능은 아니나, 명리의 가장 중요한 부분이 희용신을 정확하게 알아 내는 것입니다.
. 용신보는 법은 크게 억부법, 조후법, 통관법, 병약법, 전왕법 등으로 나누나 기본적으로는 신강과 신약으로 판별하는 억부법을 위주로 하고 그 다음은 계절을 중요시 하여 조후법으로 봅니다.
. 억부법은 신강과 신약을 구별하는 판단기준이 있는데 학자마다 약간씩 다른 기준을 갖고 있고, 점수 계산법도 약간씩 차이가 있습니다.

* 사주상담 순서

1) 성격파악

성격은 일간과 월지.일지가 사주에 크게 영향력을 행사하니. 오행의 특성을 분석해 봅니다.

2) 대운과 세운과 월운을 보아 당면문제에 치중하여 감정합니다.

3) 육친을 분석하여 직업과 적성을 파악합니다.

4) 사주의 전체 기운이 권력. 명예. 재물. 학문인지를 파악. 감정합니다.

5) 항상 사주와 대운을 같이 보아야 됩니다.

6) 주변인물과의 관계를 육친을 가지고 설명합니다.

7) 부족한 오행을 채우는 방법을 가르쳐 줍니다.

8) 건강에 관한 내용을 설명해줍니다.

9) 사주의 장점과 단점을 분류하여. 장점은 살리고. 단점은 보완하는 것을 설명합니다.

10) 항상 희망을 갖도록 상담을 하는 것이 중요합니다.

사주가 나쁘게 나오더라도. 이겨 나갈 수 있도록 용기를 부여하고. 극복할 수 있는 지혜를 제공하는 조언자가 되어야 합니다.

11) 미성년자는 부모님 사주를 같이 보는 것이 정확한

감정을 하는데 유리합니다. 특히 년의 기운이 초년을 좌우하니 연주를 잘 살펴서 특성이 무엇인지 알아야 합니다.

12) 항상 사주를 감정할때는 전체적인 통변에 치중해야지 어느 한 글자에 억매여서는 안됩니다.

항상 전체를 보는 눈을 키워야 합니다. 나무보다는 숲을 보는 자세가 중요합니다.

13) 명리학의 한계가 있기 때문에 가급적이면, 확실하지 않으면, 언급하지 않는 것이 중요합니다.

* 사주 보는 일반적 순서

1) 일간에서 성격, 가치관을 알 수 있습니다.

일지에서 결혼생활, 배우자 성격을 알아봅니다.

2) 월지에서 사회환경, 직업환경, 부모형제 환경, 청년시절 환경을 알 수 있습니다.

월지 지장간이 천간에 투출되지 않았을 경우 사회적 활동력이 약합니다.

월지 및 시지에 무게를 두고 음양의 조화를 봅니다.

목화의 양기가 강한지, 금수의 음기가 강한지, 춥고 덥고의 음양이 조화를 이뤘는지를 파악합니다.

3) 월지 및 월지 지장간이 천간으로 투출한 오행을 격으로 잡아 어떤 능력을 주특기로 살아 가는지, 그 능력이 얼마나 강하고 필요한 십신의 도움을 받는 구조인지를 보고 그릇의 크기를 가늠해 봅니다.
예) 인비식 구조, 식상생재 구조, 재생관 구조,
관인상생하는 구조인지를 파악합니다.
4) 다자, 무자 : 많은 글자의 특징, 없는 글자의 특징을 살펴봅니다.

5) 격과 사주의 구조를 더 잘 쓰기 위해 필요한 오행 및 십신, 즉 희신이 무엇인가를 파악합니다.
예) 식신생재의 구조에서 식신은 충분하고, 재가 약하다면 대운 및 세운에서 희신 재운을 만나야 발복합니다.
관인상생의 구조에서 인성과 비겁은 강한데 관이 약하면, 대운 및 세운에서 희신 관운을 만나야 발복을 합니다.

6) 격과 사주의 구조를 돕는 희신이 정해졌다면, 어떤 오행이 희신을 극하거나 형충합으로 방해하는지, 어떤 오행이 희신을 돕는지에 따라 대운 및 세운의 길흉을

파악하여, 그 길흉이 어떻게 드러나는지를 봅니다.

7) 대운 및 세운에 따른 길흉을 보되, 어린 학생인지, 대학생인지, 직장인인지, 사업가인지, 장년인지, 노인인지 등 세대별, 직업별 남녀별 통변(사주풀이)을 합니다.

8) 사주 구조에 따라 유일한 희신이 언제 막히는지를 볼 수도 있고, 심각한 사주의 병을 치료 하는 약운이 언제 오는지를 보는 방법도 있습니다.

9) 어린 아이 사주를 보는 순서는 부모복, 적성에 따른 학과 선택, 진로 및 직업 운, 결혼시기 및 배우자 조건, 건강운 및 수명, 행복한 삶을 위한 개운법 및 평생 조심하거나 가슴에 간직해야할 점 등을 알려줍니다.

10) 평생 사주가 아니라면, 사업, 투자, 이직, 이사 등 궁금해 하는 사안에 대해 가부를 분명하게 알려주고, 지난 해와의 연결 선상에서, 다음 해의 진행 상황까지 언급해 줍니다.

11) 마무리는 따듯한 마음으로 삶에 대한 용기를 북돋아 주는 것으로 상담을 하는 것이 중요 합니다.

나쁜 사주에 해당하더라도, 극복할 수 있도록 지혜를 제공하는 조언자가 되어야 합니다.

39. 실제 만세력을 적용하여 구체적으로 사주를 풀어보자!

<< 만세력을 사용하여 사주팔자 구체적으로 풀어보기 >>

시주	일주	월주	년주	보는순서
정인	일간(나)	편관	비견	1
丁	戊	甲	戊	2
巳	申	子	辰	
편인	식신	정재	비견	3
(지장간) 戊 비견 庚 식신 丙 편인	(지장간) 戊 비견 壬 편재 庚 식신	(지장간) 壬 편재 -- 癸 정재	(지장간) 乙 정관 癸 정재 戊 비견	
건록 (제왕)	병 (병)	태 (목욕)	관대 (관대)	4
사중토	대역토	해중금	대림목	5
육합, 형, 파 - (巳)-> 지망	<-(申)-> 삼합 육합, 형, 파 삼합	삼합 <-(子)-> - 삼합	삼합 삼합 지망 <-(辰)	6
木1, 火2, 土3, 金1, 水1				7
공망:(년)戌亥(일)寅卯	천을귀인:丑未		월령:癸	8
십성	신살	12운성	형충회합	9
- 겁살 겁살 망신살	- 지살 지살 역마살	- 장성살 장성살 재살	- 화개살 화개살 월살	

위 만세력을 번호순으로 설명 하도록 하겠습니다.

만세력 번호를 확인해 가면서 잘 짚어 보시기 바랍니다.

*1 번해설) 십신=십성(十星) : 일간(본인, 일원, 주인공)이고 육친관계(정인, 편관, 비견, 편인 등) 나타납니다.

. 십신 특성 요약

- 비견 / 겁재 : 자아 강함, 주체성 강함, 소통불능 / 임기웅변 강함, 재물탕진, 도박, 부부불화
- 정인 / 편인 : 순수하게 전부 수용, 교육분야/특수 신비분야, 교육, 취사선택, 게으름, 망상, 실천력 없음
- 식신 / 상관 : 솔직, 표현, 자기주장 강함 / 예민, 감정표현 강함, 입이 가볍다
- 정재 / 편재 : 정확한 계산, 재물에 집착 / 큰손, 순발력, 조급함, 충동적
- 정관 / 편관 : 정직, 원리원칙, 고지식 융통성 없음 / 분석력, 결단력, 강압적, 고집

. 십성에 의한 육친관계

육친	가 족 관 계
비견	남: 남녀형제, 자매의 시아버지, 친구, 동창생 여: 남녀형제, 시아버지 형제, 친구, 동창생
겁재	남: 남녀형제, 며느리, 동서 간, 딸의 시어머니 여: 남녀형제, 시아버지, 동서 간, 아들의 장인
식신	남: 손자, 장모, 사위, 증조부 여: 아들, 딸의 시아버지, 증조부
상관	남: 할머니, 손녀, 외할아버지, 외숙모 여: 딸, 할머니, 시누이, 남편
편재	남: 아버지, 첩, 애인, 형수, 제수, 처의 형제간 여: 아버지, 시어머니, 외손녀, 아들의 장모
정재	남: 처, 고모, 아들의 장인, 자매의 시어머니 여: 외손자, 백부, 고모, 시어머니 형제간, 시할아버지
편관	남: 아들, 외할머니, 딸의 시아버지 여: 애인, 정부(애인, 불륜), 시동생, 시누이, 며느리 형제간
정관	남: 딸, 증조모 여: 남편, 며느리, 딸의 시어머니, 증조모
편인	남: 계모, 이모, 외삼촌, 할아버지, 외손녀, 아들의 장모 여: 계모, 이모, 외삼촌, 할아버지, 손자, 사위, 시할머니
정인	남: 어머니, 외손자, 처남의 처, 장인 여: 어머니, 손녀

- 성격은 월지에서 60%를 판단하므로 대단히 큰 비율이 되고

- 일지에서 30%의 힘을 판단하고 나머지 전체에서 10%의 비율로 판단

<< 천간육신(天干六神) 조견표 >>

육친	가 족 관 계		기 타
비견	남	형제자매(남형제), 며느리	친구, 직장동료, 라이벌, 아내의 전남편
	여	형제자매, 시아버지, 남편의첩	친구, 직장동료, 라이벌, 남편의 전처
겁재	남	이복형제자매, 처형제의 남편, 조카며느리 또는 여형제	직장 라이벌 동료, 사업라이벌, 나쁜친구
	여	이복형제자매 (또는 남형제), 남편의 형, 제수, 남편의 첩, 애인	친구, 동료, 라이벌
식신	남	손자손녀, 장모	자선사업, 배설구
	여	남편의첩, 애인의 자식, 딸	자선사업, 배설구
상관	남	조모, 외조부	하극상
	여	친자녀(아들), 조모, 외조부	남편을 괴롭히는 자
편재	남	부친, 첩, 정부, 아내의 동기간	횡재, 투기, 여자
	여	부친, 시어머니	횡재, 투기, 여자
정재	남	아내, 백숙부, 의부, 양부	고정수입, 유산
	여	백숙부, 의부, 양부	고정수입, 유산
편관	남	친자녀, 외조모, 아들 재앙	횡액, 도둑
	여	외조모, 재혼남편, 며느리	횡액, 도둑
정관	남	자녀, 조카, 의 자녀 귀인	국가, 관직
	여	남편, 딸, 조카며느리	국가, 관직
편인	남	계모, 이모, 유모, 조부, 백모, 숙모	
	여	계모, 이모, 유모, 조부	
정인	남	생모, 장인 윗사람	군자
	여	생모(어머니), 손자손녀	군자

* 2번해설) 사주팔자 : 간지(10간, 12지)에서 천간 4글자, 지지 4글자 나타납니다.

일주(日柱)의 일간(日干) 무(戊)는 사주의 주인공을 나타냅니다.

일간 무(戊)의 기본 성향은 아래 기본성향 부분을 참고하면 됩니다.

일간에 들어갈 수 있는 글자는 십간(十干)의 총 10개의글자(갑을병정무기경신임계)중 하나가 가능합니다.

일간은 주인공의 생년월일시간을 상징하기 때문에 일간으로 어느 정도는 사주 주인공의 성향 파악이 가능합니다.

갑(甲)	진취적, 장남(장녀)의 역할, 도전적, 독립심, 자존심, 자기표현력 강함, 시작은 좋으나 마무리 약함, 타인의 시선 의식.
을(乙)	생활력, 적응력 강함, 재물에 대한집착, 욕심, 영리, 고집, 주변의식.
병(丙)	성격 급하고, 화끈함, 공익중시, 솔직, 진실, 타인 일에 간섭(충돌가능성), 비밀유지 어려움(솔직해서).
정(丁)	온화, 정직(성격은 급한편), 봉사적, 화술(언변), 예민함, 화려함 추구.
무(戊)	무게감, 믿음직, 생활력, 융통성 적음, 신용중시, 비밀스러움, 원리원칙, 고집

기(己)	표용성, 자애심, 고지식, 산만, 의존심, 변덕, 자재다능.
경(庚)	고집, 과감함, 추진력, 강직, 신념, 원리원칙, 배려 및 융통성 부족, 세밀함 부족.
신(辛)	자존심, 뒤끝(욱하는 성질), 경쟁심, 영리, 멋쟁이, 예민, 기억력
임(壬)	정확함, 실천성, 연구심, 영리, 정직, 결단력, 교육분야에 재능.
계(癸)	꼼꼼함, 섬세, 다정다감, 희생, 봉사, 영리, 사교성, 고집, 융통성 적음.

* 3 번해설) 지장간 : 무경병, 무임경, 을계무 등
지지(地支)에 숨어 있는 하늘의 기운입니다.
12 지지 속에 각각 천간의 기운이 저장되어 있는데 그것을 지장간 또는 인원(人元)이라고 하고 12 지지(地支)의 겉에 드러난 형태를 체(體)라 하고 지장간을 용(用)이라고 합니다.

구분	음양	오행	지장간(30일)		
			여기	중기	정기
자(子)	양	수	壬(임-10일)	-	癸(계-20일)
축(丑)	음	토	癸(계-9일)	辛(신-3일)	己(기-18일)
인(寅)	양	목	戊(무-7일)	丙(병-7일)	甲(갑-16일)
묘(卯)	음	목	甲(갑-10일)	-	乙(을-20일)
진(辰)	양	토	乙(을-9일)	癸(계-3일)	戊(무-18일)
사(巳)	음	화	戊(무-7일)	庚(경-7일)	丙(병-16일)
오(午)	양	화	丙(병-10일)	己(기-9일)	丁(정-11일)
미(未)	음	토	丁(정-9일)	乙(을-3일)	己(기-18일)
신(申)	양	금	戊(무-7일)	壬(임-7일)	庚(경-16일)
유(酉)	음	금	庚(경-10일)	-	辛(신-20일)
술(戌)	양	토	辛(신-9일)	丁(정-3일)	戊(무-18일)
해(亥)	음	수	戊(무-7일)	甲(갑-7일)	壬(임-16일)

* 4 번해설) 십이운성 : 12 운이란 장생, 목욕, 관대, 건록, 제왕, 쇠, 병, 사, 묘, 절, 태, 양의 12 신을 말합니다.
십간의 오행을 12 지에 대비하여 왕약을 측정할 때 쓰이는 이름입니다.
십이운성법이란 천간이 지지와 결합하여 음양을 이루어

살다가 그 힘이 다하면 죽게 되는 이치로 인간사에서는 생노병사에 관련된 일입니다.

* 5번해설) 납음오행 사중토, 대역토, 해중금, 대림목 : 납음오행은 천간과 지지가 통하여 만나서 만들어내는 오행을 말합니다.
이것 또한 보이지 않는 글자를 의미하므로 넓게는 허자로서 볼 수있고, 납음오행의 순서는 화토목금수의 순서로 변합니다.

구분	자축	인묘	진사	오미	신유	술해
갑을	해중금	대계수	복등화	사중금	천중수	산두화
병정	간하수	노중화	사중토	천하수	산하화	옥상토
무기	벽력화	성두토	대림목	천상화	대역토	평지목
경신	벽상토	송백목	백랍금	노방토	석류목	차친금
임계	상자목	금박금	장류수	양류목	검봉금	대해수

<<표의 이름 해설 >>

해중금	바다속의 금..소금	복등화	전등불	천중수	지하수 샘물
간하수	약수	사중토	모래	산하화	아지랑이
벽력화	벼락	대림목	큰나무	대역토	역전같이 사람 많이 다니는곳
벽상토	담벼락	백랍금	빙벽, 얼음, 빙하	석류목	열매
상자목	뽕나무	장류수	큰강	검봉금	칼, 붓, 주사기, 침. 전문직
대계수	강, 시냇물	사중금	모래속의 금(제련 필요)	산두화	산불..혁명
노중화	화로불	천하수	장마비	옥상토	댐
성두토	넓은 벌판, 우두머리	천상화	태양	평지목	보리같이 연약한 나무
송백목	해송	노방토	물길	차천금	비녀(연예인)
금박금	왕관	양류목	버드나무	대해수	바다물

납음오행은 허자 중에서도 좀 더 허자에 가까운 것으로서 다른 방법으로도 찾고자 하는 허자오행을 찾지 못할 때 최후에 도입하는 허자개념으로 납음오행의 힘은 아주 미약하다고 보는것입니다.

* 6번해설) 합충형파해. 육합형파 - 申 - 삼합 - 삼합 : 합충형파해(合冲刑破害) 원진(怨嗔) 신살(神殺)에 따른 지지(地支)의 변화는 천변만화(千變萬化)와 같이 다양합니다.

지지(地支)는 충(沖)이 먼저 일어나고 합(合)이 나중에 일어나는데 충(沖)은 년월일시 중에서 어느 자리를 충(沖)하느냐가 중요합니다.
합(合)은 육합(六合)과 방국(方局)으로 인해 어떤 일이 발생하는지 알아야 합니다.

. 합충형파해

합. 충. 파만 가지고 길흉을 논하면 안됩니다.
합의 오행을 바꾸는 효과 때문에 길함이 없어질수도, 충이 불러오는 에너지의 흐름에 의해서 크게 대성하는 경우도 있습니다.
절대로 충, 파라고 해서 흉한 것이 아닙니다.

* 천간합						
합하는 오행	갑기 (甲己)	을경 (乙庚)	병신 (丙辛)	정임 (丁壬)	무계 (戊癸)	
변하는 오행	토(土)	금(金)	수(水)	목(木)	화(火)	

* 육합						
합하는 오행	자축 (子丑)	인해 (寅亥)	묘술 (卯戌)	진유 (辰酉)	사신 (巳申)	오미 (午未)
변하는 오행	토(土)	목(木)	화(火)	금(金)	수(水)	잘 되지 않음

* 삼합				
합하는 오행	인오술 (寅午戌)	신자진 (申子辰)	사유축 (巳酉丑)	해묘미 (亥卯未)
변하는 오행	화(火)	수(水)	금(金)	목(木)

* 방합				
합하는 오행	인묘진 (寅卯辰)	사오미 (巳午未)	신유술 (申酉戌)	해자축 (亥子丑)
변하는 오행	목(木)	화(火)	금(金)	수(水)

-합(合)

서로 별개의 오행이 만나 하나의 다른 오행으로 변하는 것을 합이라고 합니다. 합은 천간합과 지지합이 있습니다.
지지합은 삼합, 방합, 육합,암합이 있습니다.
위의 표를 쉽게 설명하자면 천간 갑(甲)은 또 다른 천간인 기(己)를 만나면 본래의 목(木)이라는 성질을 잃어버리고 토(土)라는 오행으로 변한다는 것입니다.
다른 합과 달리 삼합과 방합은 합의 방식이 조금 다릅니다.
합을 하기 위해서 3개의 지지가 전부 있어야 될 것 같지만, 저 3가지의 지지 중에서 중간 번째의 지지와 나머지 하나의 지지만 있어도 합이 됩니다.
예를 들어, 해묘미(亥卯未)가 합을 하여 목(木)으로 변하기 위해서는 위의 표 대로라면 3가지 지지가 모두 있어야 겠지만, 묘미(卯未), 해묘(亥卯)만 있어도 목(木)으로 변한다는 것입니다.
하지만 묘가 없이 해미(亥未)만으로 목으로 화할 수는

없습니다. 다른 합도 마찬가지입니다.

* 7 번해설) 오행

사주팔자에서 오행 구분 분류

(목 1, 화 2, 토 2, 금 0, 수 3)

오행	목(木)		화(火)		토(土)		금(金)		수(水)	
천간	갑 (甲)	을 (乙)	병 (丙)	정 (丁)	무 (戊)	기 (己)	경 (庚)	신 (辛)	임 (壬)	계 (癸)
지지	인 (寅)	묘 (卯)	오 (午)	사 (巳)	진 술 (辰) (戌)	축 미 (丑) (未)	신 (申)	유 (酉)	해 (亥)	자 (子)
음양	양 +	음 -	양 +	음 -	양 +	음 -	양 +	음 -	양 +	음 -
음양 오행	목(木)		화(火)		토(土)		금(金)		수(水)	
	양 +		양 +		-		음 -		음 -	
사주 팔자 음양	남자 해당(木목, 火화) (남자사주는 음이 한 두 개 많은 것이 음양에 좋고, 水수가 있으면 특히 좋다)						여자 해당(金금, 水수) (여자사주는 양이 한 두 개 많은 것이 음양에 좋고, 火화가 있으면 특히 좋다)			

<< 오행의 특성>>

목(木)	- 성격은 온난하여 인정이 많으며, 강직, 정직하며 담력이 있어 모든 일에 앞장서거나 약한 자의 편에 서서 대변자 역할을 잘한다. 따라서 명예가 있거나 타인에게 봉사하는 직업이 어울린다. - 사주에 목(木) 기운이 왕성하면 관계나 법조계가 적합하며, 목(木) 기운이 쇠약하면 교육계통이나 종교계통이 적합하다. - (직업) 종교, 문화, 자선, 상담, 출판, 인쇄, 교육, 변호사, 공무원, 언론, 신문, 정치, 평론가, 연설가, 목사, 스님, 방송, 행정, 법학 등이 있다. - 목재와 관련된 제반업무, 임업, 조경, 목공, 가구, 목재예술, 죽공예, 지물, 섬유, 면사, 옷감, 의류, 의상디자인, 의약, 약품, 생물학, 보건위생, 간호사, 교육계, 교사, 교수, 변호사, 종교, 성직자, 기획, 인사, 회계원, 비서, 금전출납인, 문구점, 문화사업, 출판업, 작가, 실험실, 서점, 원예, 식물재배, 유기체성장연구 등
화(火)	- 성격은 명랑하지만 조급한 편이며, 강심장에 달변가의 면모도 보인다. - 체면과 예의를 앞세우므로 상대방을 공격할줄 알지만 자뻑 기질 또한 다분하다. - 사주에 화(火) 기운이 왕성하면 제조업이나 생산업이 적합하며, 화(火) 기운이 쇠약하면 학자나 연구직이 좋다. - (직업) 컴퓨터, 전기, 전자, 가스, 보일러, 조명설비, 패션 디자이너, 그림, 의상, 헤어 디자이너, 메이크업등이 있다. - 화(火)- 화학, 전기, 전자, 전신, IT,가스, 보일러, 난방, 합섬, 야금, 문학, 언론, 어학, 연예인, 예술, 연극, 배우, 화가, 도안, 장식, 의장, 미용, 완구, 골동품, 조명설비, 제련업, 열가공 제품, 열처리, 방사선, 공산품제조, 화학반응 발열품, 화장품, 열 음식업, 조리사, 자동차 연료, 사원훈련, 행정집행, 평론, 연설가 등

토(土)	- 중후하고 언행이 일치하며 매사에 신중하므로 믿음이 가는 성격이다. 다만 지나치면 결단력과 과단성이 부족하고, 고집이 세다. - 사주에 토(土) 기운이 왕성하면 교통업이나 농업, 광산업이 좋으며, 토(土) 기운이 부족하면 부동산업이 좋다. 토(土)는 중간에서 이어주는 성격이므로 직업 또한 이에 어울리는 경우가 많다. - (직업) 무역, 상담, 교육, 전도사, 커플매니져, 연예인, 변호사, 운동선수, 건설, 건축, 토목, 부동산, 농업, 장의업, 임대업, 자원봉사자, 사회 복지사 등이 있다. - 토(土) 공직, 생산, 농업, 임업, 원예, 석재, 광업, 요업, 도자기, 골동품, 건축업, 운수, 창고, 부동산업, 토지 관련업, 농산물, 미장, 토목, 건축 관리, 도서관, 보육원, 보험업, 고고학, 묘원관리, 장의사, 성직자, 사원, 교회, 성당 등.
금(金)	- 의리맨이다. 냉정, 용감, 명예 등으로 표현될 수 있고, 개혁과 변혁과도 연결이 된다. - 사주에 금(金) 기운이 왕성하면 상업이나 무역업 또는 가공업 등이 좋고, 금(金) 기운이 약하면 금속성의 업이나 자재업이 좋다. 성격상 맺고 끊는 것이 정확한 직업이나 기획력이 필요한 직업이 어울린다. - (직업) 군인, 경찰, 교도관, 의사, 기술, 회계, 세무, 컴퓨터, 정치인, 평론가, 소설가, 방송작가, 프로그래머, 기획업무, 디자이너 등이 있다. - 금(金) 기계, 금속, 귀금속, 철공업, 철광업, 철물점, 금속기구, 무기제조 관리, 조각, 스포츠(투기종목, 역도, 검도), 금융, 군인, 검찰, 경찰, 법관, 조사, 감사, 집행관, 감정사, 세무, 외과, 치과, 기자, 자동차정비, 재단사, 이발사, 미용사, 금속악기제조, 악사, 가수, 성악가, 도살업, 정육점, 유리점, 숙박업 등.

수(水)	- 지혜롭고 계교가 넘친다. 성격을 표현하는 단어로는 원만, 포용, 인내, 기획, 발명 등과 같은 긍정적인 면과 음흉, 비밀, 비애, 도벽 등과 같은 부정적인 면을 함께 갖추고 있다. - 사주에 수(水) 기운이 왕성하면 음식업이나 인기업, 흥행업이 좋고, 수(水) 기운이 부족하면 수산업이나 여관업이 길하다. - (직업) 과학 계통, 의학, 수학, 컴퓨터, 금융, 경제학, 회계학, 통계학, 외국어, 디자이너 등이 있다. - 수(水) 사업, 경제, 수산업, 해운, 항운, 여행사, 무역, 운수업, 유통업, 어업, 선원, 해산물 취급, 주류, 유흥업, 온천, 목욕탕, 음식점, 다방, 오락, 서비스업, 광고업, 페인트, 도색업, 염색업, 세탁업, 수영장, 수영선수, 체조선수, 얼음공장, 생수사업, 소방관, 수자원관리, 수도관리 등, 유동성 직업.

오행운행도

오행	목(木)	화(火)	토(土)	금(金)	수(水)
상생	화(火)	토(土)	금(金)	수(水)	목(木)
상극	토(土)	금(金)	수(水)	목(木)	화(火)
오방	동	남	중앙	서	북
오시	춘	하	계하 토용	추	동
오기	인애(仁愛)	강맹(剛猛)	관굉(寬宏)	살벌(殺伐)	유화(柔和)
오상	인	예	신	의	지
오색	청	적	황	백	흑
오장	간	심	비	폐	신
숫자	3,8 1,3	2,7 3,4	5,10 5,6	4,9 7,8	1,6 9,10
음(音)	각	징 치	궁	상	우
	ㄱ.ㅋ 아음	ㄴ.ㄷ.ㄹ.ㅌ 설음	ㅇ.ㅎ 후음	ㅅ.ㅈ.ㅊ 치음	ㅁ.ㅂ.ㅍ 순음
납음오행	양음 갑을	양음 병정	양음 무기	양음 경신	영음 임계
지지	인묘	오사	진술축미	신유	해자

* 8 번해설) 공망, 천을귀인, 월령 : 사주와 운에서 공망을 만나면 어떤 일을 해도 제대로 결실이 나타나지 않습니다. 천간은 10 자, 지지는 12 가가 순환하면서 60 갑자를 이루고 있습니다.

. 공망은 천간과 지지를 서로 짝을 맞추어 나가다 보면 지지가 천간과 짝을 이루지 못하는 2 글자가 남게 되는데 이 두 글자를 공망이라 합니다.

<< 공망 조견표 >>

공망	일주 (60갑자)
술. 해	갑자. 을축. 병인. 정묘. 무진. 기사. 경오. 신미. 임신. 계유
신. 유	갑술. 을해. 병자. 정축. 무인. 기묘. 경진. 신사. 임오. 계미
오. 미	갑신. 을유. 병술. 정해. 무자. 기축. 경인. 신묘. 임진. 계사
진. 사	갑오. 을미. 병신. 정유. 무술. 기해. 경자. 신축. 임인. 계묘
인. 묘	갑진. 을사. 병오. 정미. 무신. 기유. 경술. 신해. 임자. 계축
자. 축	갑인. 을묘. 병진. 정사. 무오. 기미. 경신. 신유. 임술. 계해

. 천을귀인은 저울대를 잡고 덕(德)을 베푸는 하늘에서 내려준 귀인을 의미하는데 가장 존귀한 신(神)으로 각종 흉함과 형살을 막아주고 귀하게 된다는 가장 뛰어난 길성이 됩니다.

<< 천을귀인 보는 법 >>

일간	甲戌庚 (갑술경)	乙己 (을기)	丙丁 (병정)	辛 (신)	壬癸 (임계)
천을귀인	丑未 (축미)	子申 (자신)	亥酉 (해유)	寅午 (인오)	巳卯 (사묘)

※ 사주에 천을귀인이 있으면 중앙관서에 근무.

고위공무원, 국가유공자가 많습니다.

. 월령(月令) 은 태어난 달입니다.

태어난 달인 월령(月令)을 <세운(歲運)=연운(年運)>에서
충(沖)해오면 그 해에 풍파가 생깁니다.
인간의 운명도 운(運)이 10 년마다 바뀌는데 이것을
대운(大運)이라고 합니다.
대운(大運)은 태어난 달(月)인 월지(月支)에서 발생하는데
10 년을 주기로 바뀌며 태어난 해의 음양 관계에 따라
선순환과 역순환을 함이 특징입니다.

사람이 <태어난 달인 월지(月支)는 생명의 명(命)의 싹이고
운(運)의 대공(臺工)>입니다. 대공(臺工)이란 목조건물의
대들보 위에 설치해 받쳐주는 짧은 기둥을 가리키는
말입니다.

태어난 달인 월지(月支)오행이 바로 사주의 근기(根基)적인

운명을 관장하는 곳이라고 보기 때문에 사주원국에서
월지(月支)를 운원(運元)이라고 부르는 이유입니다.
태어난 달인 생월(生月)의 지지(地支)=월지(月支)에 내장해
있는 지장간(地藏干)을 태어난 날의 천간(天干)인
일간(日干)에서 보아 운원(運元)으로 삼고
체용(體用)관계를 정하여 운명의 모든 지배권을 갖게
된다고 판단을 합니다.

10년의 대운(大運)이나 1년의 세운(歲運)=연운(年運)인
세군(歲君)=태세(太歲)가 운원(運元)인 월지(月支)를
충(沖)해 옴을 가장 두려워하는 것입니다.

1년의 연운(年運)인 태세(太歲)에서 태어난 달인
월지(月支)를 충(沖)을 해오면 싹(움)이 피곤해지기 때문에
해당되는 그 해에는 반드시 풍파를 겪는다고 보고 미리
예방책을 세우고 대비를 해야만 화(禍)를 최소화시킬
수가 있습니다.

타고난 사주원국의 자체에서 태어난 달인 월령(月令)이
충(沖)되면 양자를 들이거나 고향을 떠나 객지에서 살
팔자가 됩니다.

태어난 달인 월령(月令)은 명(命)의 싹이고 대공입니다. 태어난 달인 월령(月令)은 조상의 피를 이어받는 혈통이자 보금자리로서 명맥(命脈)처럼 가장 소중한 곳입니다.

태어난 달인 월령이 충(沖)을 당하면 혈통과 묘목(苗木)이 상하고 단절된 것이니, 조상의 피를 이어받기가 어려울 뿐만이 아니라 명주(命主)도 또한 혈맥이 온전하지를 못함으로서 혈통을 이어나가기가 어렵게 되어 직계가 아닌 서족(庶族)을 입양하거나, 아들이 귀(貴)해서 조카를 양자로 삼는 경우가 생기고 오랜 세월을 지키고 살던 터전인 고향을 떠나 타향으로 이향(離鄕) 갈수밖에 없는 신세가 되니 이것이 타고난 팔자이고 운명인 셈입니다.

다음 만세력을 살펴 보겠습니다.

마찬가지로 번호순으로 보는 방법을 설명하겠습니다.

십성		신살		12운성		형충회합		보는순서
- 겁살 겁살 망신살 건록 천덕귀인 고란살		- 지살 지살 역마살 암록 문창귀인 복성귀인 천주귀인 현침살 고란살		- 장성살 장성살 재살 비인살 현침살		- 화개살 화개살 월살 태극귀인 홍염살 협록 백호살		9
106	96	86	76	66	56	46	36	
정관	편관	정재	편재	상관	식신	겁재	비견	10
乙	甲	癸	壬	辛	庚	己	戊	
亥	戌	酉	申	未	午	巳	辰	
편재 절 망신살 망신살 겁살	비견 묘 월살 월살 화개살	상관 사 년살 년살 육해살	식신 병 지살 지살 역마살	겁재 쇠 천살 천살 반안살	정인 제왕 재살 재살 장성살	편인 건록 겁살 겁살 망신살	비견 관대 화개 살 화개 살 월살	
2022 편재	2021 상관	2020 식신	2019 겁재	2018 비견	2017 정인	2016 편인	2015 정관	11
壬	辛	庚	己	戊	丁	丙	乙	
寅	丑	子	亥	戌	酉	申	未	
편관	겁재	정재	편재	비견	상관	식신	겁재	

* 9 번해설) 십이신살 : 12 신살은 년지(외부일)와 일지(집안일)를 중심으로 보는데, 최근에는 년지를 중심으로 보는 경향이 강하며 전체 사주와의 조화를 살펴 길흉을 판단합니다.

-12 신살 조견표

십이신살	겁살	재살	천살	지살	년살	월살	망신살	장성살	반안살	역마살	육해살	화개살
십이운성	절	태	양	장생	목욕	관대	건록	제왕	쇠	병	사	묘

일지	겁살	재살	천살	지살	년살	월살	망신살	장성살	반안살	역마살	육해살	화개살
해묘미	신	유	술	해	자	축	인	묘	진	사	오	미
인오술	해	자	축	인	묘	진	사	오	미	신	유	술
사유축	인	묘	진	사	오	미	신	유	술	해	자	축
신자진	사	오	미	신	유	술	해	자	축	인	묘	진
십이운성	절	태	양	장생	목욕	관대	건록	제왕	쇠	병	사	묘

- 겁살 : 재물이든 사람이든 겁탈을 당한다는 살입니다. 손재, 도난, 사기, 질병, 관재, 좌천 의미합니다.

- 재살 : 감옥에 들어가는 수 또는 관재수로 보기 때문에 수옥살이라 합니다. 감금, 납치, 구속을 의미 합니다.
- 천살 : 불의의 천재지변을 당하게 된다는 살을 말합니다. 홍수, 화재, 지진 또는 혈육의 사망
- 지살 : 역마와 유사한 돌아다니는 살을 말합니다. 땅의 저주
- 년살 : 주색에 빠지게 되는 살입니다. 주색, 도박, 풍류, 호색등
- 월살 : 모든 것이 고갈된다는 살입니다. 무기력증이나 위축증
- 망신살 : 글자그대로 망신을 당한다는 살입니다. 실수
- 장성살 : 문무를 겸비하여 권위를 드높이는 살입니다. 출세를 의미
- 반안살 : 출세한다는 의미가 들어 있는 살입니다.
- 역마살 : 지살보다 의미가 강한 바쁘지만 실속이 없는 살입니다. 여행이나 해외 나들이
- 육해살 : 피곤으로 인해 여러가지 병이 생긴다는 살입니다. 신체와 육친과 관련된 질병
- 화개살 : 영리하고 학문의 성취가 높은 살입니다. 귀인의 도움, 종교성

<건록 암록 금여 문창 십이운성의 길성들>

- 12운성은 사람이나 생명이 태어나서 소멸하는 단계를 열 두개로 나누어 설명한 것입니다.

(장생. 목욕. 관대. 건록. 제왕. 쇠. 병. 사. 묘. 절. 태. 양)

- 그러나 이러한 표현의 말에 현혹되어서는 안 된다. 쇠는 쇠퇴하는 것, 병은 병드는 것을 의미하지만 이들은 금여와 문창으로 길성 중의 길성입니다.

- 이러한 길성을 사주나 운에서 만나 희망을 갖고 위로받는 것은 무척이나 중요하다.

사주팔자와 운이 인생을 반영한 것이기에 좋은 일도 있고, 나쁜 일도 있다.

- 12운성에는 좋은 것이 있고, 나쁜 것도 있으니 길성은 잘 기억하고 있다가 기분 좋게 활용하는 것도 운을 대하는 지혜가 될 것이다.

- 12운성 중 길성은 건록, 암록, 금여, 문창 등이 있습니다

(건록) - 건록은 가장 왕성할 때로 힘이 있고, 강건하며 강한 추진력 의지가 있다.
리더가 되고 관직을 상징하며, 복록이 있다.

건록은 다음과 같다.
(갑을병정무기경신임계)
(인묘사오사오유술해자)

- 갑목일 때 지지나 운에서 인목이 들어오면 건록이 되는 것이다.
- 월지나 일지에 있으면 아주 강력한 힘을 발휘한다.
- 인목의 정기는 갑목으로 일간이 지지에서 자신과 같은 모양의 정기를 갖고 있어 힘이 막대하다.
- 힘 있는 청년의 멈추지 않는 강력한 기개가 있는 것이니 막강하다.
- 사주의 세력이 약할 때 건록이 들어오면 혼자서도 충분히 세를 보완할 수 있다.
- 강한 사주에서 건록이 있을 경우, 특히 일간에 있을 경우 배우자에게 너무 강하게 지배하려 하고, 고집을 부리니 관계가 나빠지기도 한다.
- 지도자가 되려는 자는 건록이 있는 경우가 좋다.

(암록) - 암록은 건록과 합이 되는 오행이 지지에서 들어오는 경우로 건록과 비슷한 역할을 하나 숨겨진 귀인이 돕는 듯한 느낌을 받는다.
지지의 합이 친구의 합이라고 했듯이 건록은 친구의 도움을 받는 역할과 같다.

건록은 다음과 같다.
(갑을병정무기경신임계)
(해술신미신미사진인축)

- 암록은 숨겨진 귀인으로 복록 즉 출세 관직에 오르는 것을 상징하고 있다.

(금여) - 12운성에서 쇠에 해당하는 오행이 바로 금여이다.

말은 쇠지만 이는 제왕 다음에 위치하여 인생 정점 최고의 시기를 지나 원숙미가 물씬 풍기는 모습이다.

- 마치 전쟁터에서 승리한 장군의 모습과 같고, 금여는 금으로 만든 가마로 승리, 최고등을 상징하며, 꽃가마는 결혼을 상징하니 좋은 배우자를 만나게 된다.

- 금여가 사주에 있으면 영리하고 다정다감하며, 온순하다.

- 시주에 있을 경우 말년이 행복하다

금여는 다음과 같다.

(갑을병정무기경신임계)

(진사미신미신술해축인)

(문창)- 글쓰는 능력이 뛰어나 후대에 문장가를 이름을 날린다는 문창이며, 요즈음은 아이가 공부를 잘하는 사주를 상징하니 엄마가 자식의 사주에 있을 경우 좋아하는 오행이다.

문창은 다음과 같다.

(갑을병정무기경신임계)

(사오신유신유해자인묘)

- 사주의 지지나 운에서 들어오면 글을 잘 쓰고, 문장가가 된다. 글을 잘 쓰고 공부를 잘하니 교수 박사 소설가 작가 등으로 이름을 날린다.

- 12운성의 길성들도 운에서 잘 활용하여 좋은 기회를 잡을수 있도록 하여야 한다.

운을 볼 때 나쁜 것만 찾으려 하지 말고 좋은 기운을 얻는 것도 운을 좋게 하는 방법이다.

* 10 번해설) 대운(10 년운) : 18 세 28 세 38 세~88 세

* 11 번해설) 세운(일년운) : 2015 년, 2016 년 - - -
2019 년, 2020 년 -- 2022 년
간지, 연도에 따른 나이 2014 년 15 살, 2019 년 20 살,

2026년 27살

* 12번 해설)월운 : 1월, 2월 - - 9, 10, 11, 12월.

40. 십신을 활용 사주를 통변해 보자!

지금까지 배운 사주팔자 연월일시에 대한 기본개념과 십신의 뜻, 십신의 작용으로 대부분의 사주해석을할 수 있습니다.
여기에 12 운성, 통근, 신살을 활용하면 더 진전된 사주해석을 할 수 있고, 운세 해석, 천간지지의 물상활용, 격국론, 억부론, 동기감응론, 직업론, 질병 판단법 등을 익히면 더욱 세부적인 해석이 가능합니다.

십신 없이 사주해석은 불가합니다.
인간사라는 것이 가족관계, 인간관계, 그리고 돈이나 취직, 공부, 명예승진-, 일-사업) 등에 관한것 빼고 뭐가 있겠습니까? 사주팔자 해석은 이런 것들을 해석하는 것인데 이런 인간사에 관한 모든 것이 십신이라는 용어만으로 설명이 가능하기 되기 때문입니다.
사주를 보고 자연현상으로 사주를 해석하기도 하는데 이는 하나의 상징성에 불과합니다. "당신은 오월에 태어난 예쁜 장미꽃인데 태양이 따스하게 비추어 주고 촉촉한 땅도 있고, 또 옆에 열매도 있으니 사주가 정말 좋군요" 라는 사주해석을 하여 사주팔자의 모양새를 일반인이 알아듣기 쉽도록 설명하는 기능은 있지만 그 사람의 실제적인 인간사에 관한 궁금한 일. 즉 남편복 자식복과 재물복등에 관해서는 설명이 안 되는 것입니다.

십신의 작용을 알면 운세해석도 가능합니다.
가령 올해 이 남자에게 상관운이 왔을 때. 상관의 작용(일간의 기운을 설기. 재를 생산.관을 극. 인의 통제를 받음-에 의한 인간사가 벌어집니다.
내 기운이 설기되므로 활동력이 생기므로 사업을 시작하거나 확대하던지. 건강이 약화될 수도 있고. 사업이나 발표등을 통하여 돈을 벌수도 돈이 지출될 수도 있고. 말을 잘못하여 구설수. 법을 위반하여 벌금. 경찰서 출입.직장에서 상사와 마찰. 벼슬이 강등. 좌천. 전출.심하면 퇴직할 수도 있고. 인의통제에 의하여 특별한 일이 발생하지 않을 수도 있습니다.

결국 운세해석이라는 것은 이러한 십신의 상호작용을 주어진 사주팔자를 보면서 해석하는 것이 됩니다. 당연히 천간의 변화-천간합. 합화-와 지지의 변화)형충 등을 감안하여 운세에서 오는 기운을 파악하는 것이지만 주된 내용은 십신의 작용이라는 것입니다.

. 길신과 흉신의 관계를 살펴보겠습니다.

식신 : 밥 ← (공격) 편인, 효신, 도식 : 밥그릇 엎는놈
재-정재, 편재 : 돈 ← (공격) 겁재, 패재, 인 : 돈 뺏아가는 도적
정관 : 벼슬 ← (공격)상관, 도기 : 관공서를 부수는 무법자
정인 : 문서 ← (공격)정재 : 자격증을 찢는놈
비견 : 나 ← (공격) 편관, 칠살 : 호랑이

년에 식신이 있으면 어릴 때 젖, 우유, 밥 잘 먹고 큽니다.
그런데 편인이 있으며 젖이 부족, 눈칫밥 등 한마디로
밥그릇을 엎어 버렸으니 뭔가 먹을 것이 부족하거나
건강하지 못했다는 기운이 됩니다.
년에 정관은 일찍 벼슬길에 오르고, 편관 있으면 건강이
안좋습니다.
월에 재가 있으면 부모가 부자인데, 겁재가 있으면
가난합니다.
일에 재가 있으면 마누라가 돈복있고, 나도 돈복이 있고,
상관이면 벼슬하고 거리가 멀게 됩니다.
시에 편관은 말년에 조심해야하고(사고, 질병) 정관은 벼슬
한자리 얻게 됩니다.

이렇게 간단하게 사주를 볼 수있는 것입니다.

시	일	월	년
자식	나	아버지	할아버지
자식	배우자	어머니	할머니

십신과 사주의 위치를 활용하여 남자의 경우.

년간에 정관 있으면 할아버지가 벼슬했고.

월간에 정관 있으면 아버지가 벼슬했습니다.

년간에 상관 있으면 조상이 벼슬하고는 인연없고.

월간에 비겁있으면 아버지와 인연이 없습니다.

일지에 겁재 있으면 마누라하고 잘지내야 하고.

정재 있으면 마누라 돈복이 있습니다.

시주에 정관 있으면 아들이 장관이나 높은 자리 얻고.

정인이 있으면 아들이 교수나 학자가 됩니다.

여자의 경우.

년간에 편재 있으면 아이구 할아버지 큰 부자입니다.

월지에 정재 있으면 엄마가 돈이 있고 시집 올 때 엄마한테 지원을 받게 됩니다.

일지에 편관 있으면 남편이 성질이 사납습니다.

시주에 상관 있으면 자식이 잘 됩니다.

육친의 길흉신 관계
식신 : 자식(여) ← (공격)편인, 효신, 도식 : 엄마, 계모
재-정재, 편재 : (아버지, 아내-남) ← (공격)겁재, 패재,
인 : 형제자매,
이복형제
정관 : 자식(남), 남편(여) ←(공격)상관, 도기 : 자식(여)
정인: (엄마) ←(공격)정재, 아버지
나: 겁재 ← (공격)편관, 칠살 : 자식(남)

가족 통변 시에는 네 기둥의 시기와 나이를 동시에 참조해야 합니다.

사주별 나이는 18~20 세로 봅니다. 년월은 결혼 전 집안일, 일시는 결혼 후 내 집안일을 봅니다.

- 일지 배우자 자리 해석

남자의 경우, 일지는 원래 정재가 와야 정상이며

재가 있으면 마누라 복 많네요.

겁재 있으면 마누라 하고 사이 안좋고

정인 있으면 엄마 같은 마누라.

편관 있으면 무서워 집에 들어가기 싫습니다.

편인 있으면 계모 같이 잔소리 앵앵앵 하는 부인

식신상관 있으면 내가 밥도 먹여주고 사랑을 해주는

부인(식신상관은 재를 생하므로)으로 봅니다.

여자의 경우, 일지는 원래 정관 자리니까
정관이 있으면 남편 복 있고
상관 있으면 남편 때리는 무법자 있으니까 부부사이가
별로이고 정인 있으면 엄마 같이 포근한 남편,
편인 있으면 쪼쪼하게 비현실적인 잔소리 하는 남편이고
식신 있으면 내가 아이처럼 보살펴주는 남편으로
편관 있으면 호랑이같이 무서운 남편으로 봅니다.
육친관계에서 충, 형, 합 등이 있으면 충은 사이가 안
좋거나 충해서 약한 글자는 다치므로 부상, 불구, 질병,
별거, 헤어져 삽니다.
이혼이 있다고 해석하면 되고, 형이 있으면 상처 나거나,
다치거나 심하면 사망, 합이 있으면 서로 사이가
좋다고해석하면 됩니다.
합이 되어 글자가 변한것을 잘 봅니다.
배우자가 변하는지, 자식이변하는지, 부모가 변하는지,
변하게되면 이별하거나 죽을 수도 있으니까 중요한
해석기준이 됩니다.

이와 같이 사주팔자 네 기둥을십신으로, 자리 위치로, 육친으로, 나이 별 기운으로 해석할 수 있습니다.
사주팔자는 가장 기본적인 환경을 나타내면서 그 주인공과 같이 평생을함께 하며, 운세에서 만나는 간지는 해당 기간 동안 기본적인 환경에 영향을 줍니다.
대운은 10 년간 기본환경에 영향을 미치며, 세운은 1 년간 기본환경에 영향을 미칩니다.
따라서 기본적인 환경인 사주팔자를 해석할 줄 알게 되면, 대운, 세운은 변화요인이 추가 되는 것이므로 해석하는데 큰 어려움이 없게 됩니다.
사주팔자를 해석하는 데 어려움이 있으면 대운, 세운이 추가되면 완전 혼돈 속으로 빠져들어 뭐가 뭔지 모르게될 것은 뻔한 이치입니다.
그러므로 사주팔자 기본환경을 해석하는 일에 우선을 두고 공부해야 합니다.
위에서 설명한 내용은 십신을 통한 사주해석의 기본을 익히는 하나의 단순한 원리를 이야기 한것이므로 사주의 상황에 따라 당연히 여러 가지 통변이 다르게 나올 수있음을 알아야 합니다.

* 길신과 흉신의 올바른 이해

십신에서 식신, 재-편재 정재-, 정관, 정인을 4 길신이라 하고, 편관, 상관, 편인, 겁재-양인-를 4 흉신이라고 합니다. 이는 십신의 근본성향을 나타내는 것이라 할 수 있습니다. 필자가 십신으로 사주해석을하면서 사흉신에 대하여 놈자라는 표현까지 붙이면서 아주 나쁘게 몰아 붙였는데 여기서 오해를 풀도록 해야 합니다. 보다 쉽게 십신을 익혀보자는 의도에서 하나의 방편으로 설명한 것인데 고정관념을 갖게 되면 곤란하므로 흉신에 대한 바른 이해가 필요하게 되었습니다.
길신이라고 항상 좋은작용을 하는 것은 아니며, 흉신이 언제나 나쁜 작용만 하는 것도 아닙니다.
사주의 상황에 따라 길신도 나쁜 작용을 하며, 흉신도 좋은 작용을 합니다.

중국의 서락오는 사주를 보는 하나의 방법으로 아래와 같은 말을 합니다.
관성을 기뻐하는 경우에는 관성이상하면 안 되고,
재성을 기뻐하는 경우에는 재성이 겁탈을 당하면 안 되며,
인수를 기뻐하는 경우에는 인수가 파괴되면 안 되고,

식신을 기뻐하는 경우에는 식신을 잃으면 안 된다. 칠살을 기뻐하는 경우에는 칠살을 제압하면 안 되고. 일간과 칠살이 균형을 이루는 경우에는 칠살을 제압하는 것이 마땅하며. 칠살이 강하고 일간이 약하면 칠살을 교화하는 것이 필요하고. 일간이 강하고 칠살이 약하면 칠살을 도우는 것이 좋고. 양인이 중중한 경우에는 식상을 기뻐하는데 만약 관살을 만나면 재앙이 생기며. 재가 많고 일간이 약하면 겁재나 양인이 좋은 역할을 하고. 겁재가 많고 재가 약하면 식신을 기뻐하며. 관이 왕하고 일간이 약하면 인이 마땅하며. 관이 약하고 인이 왕하면 재운이 유리하고. 효신-편인-의 소용처가 없는 것은 아니니 칠살이 많고 식신이 강할 경우에는 효신을 최고로 기뻐하며. 인은 항상 흉물은 아니니 재가많고 칠살이 무리를 이루면 인이 좋은 역할을 한다는 것입니다. 위의 표현을 요약하면 길신은 좋은 신이므로 잘 보호해야 하고. 흉신은 나쁘므로 때려잡아야 할 필요가 있지만 약하면 도와주기도 하고 또 상황에 따라 아주 좋은 작용도 한다는 것입니다. 그러므로 흉신이라고 항상 나쁜 작용만 하는 것은 아닙니다.

41. 다양한 사주 통변법에 대해 익히고 활용해 보자!

* 공망은 문자 그대로 비었음을 말하고 곤명은 여자 관성은 남편, 명예. 재성은 돈, 아버지, 처를 말합니다.
식신은 수명으로도 보는데 식신이 공망이면 단명으로도 보고 잘 체한다고 봅니다.
인수가 공망이면 공부를 덜하였거나 공부에 한이 있거나 엄마와의 관계가 소원한 경우가 많습니다.
또 대학자가 될수도 있습니다.
월지가 공망이면 부모 형제덕이 미흡이고 목사, 스님도 될 수 있습니다.
일지가 공망이면 부부이별도 시지가 공망이면 자식덕이 없고 편재가 공망이면 돈복없고 부의 덕이 없습니다.
곤명에 정관이 공망이면 당연 남편복이 미흡하고 재혼의 우려가 있습니다.

공망이 합,충이 되면 공망으로 보지 않습니다.
공망이 3개이상이면 아닌것으로 보고 같은글자 포함입니다.
기신이 공망이면 오히려 좋고 희, 용신이 공망이면 나쁘게 보면됩니다.
재성, 관성이 공망이면 재산형성 미흡, 마누라복 미흡, 명예와는 거리가 멉니다.

* 화개살이란 숭상한다는 뜻이 담긴글자와 빛이 난다는 뜻이 담긴 글자입니다.
화개는 대운에서 만나면 발전이 오고 재능을 발휘하여 목적을 이루고 운이 나쁜운으로 흐른다면 큰시련에 일신에 고통이 따릅니다.

* 돈은 들어오는 때는 사주에 재성이 많은 사람인나 비겁에 발달하고 재성운엔 재산탕진이나 오히려 빚을지고, 여자로 인해 곤욕을 당하기도 합니다.
반대로 군겁쟁재된 사주는 오직 관살운이 좋고 관이 없다면 식상운에 발복합니다.

* 사는 무경병 이라는 지장간을 두고 있습니다.
중기가 가운데 글자가 경금인데 다음계절인 가을로 지향하려는 것, 미래의 지향하는 목적이 금에 있는 것입니다.
가을에 열매 결실을 맺기 위한 미래의 목적이 됩니다.
신은 지장간에 무임경 이라는 글자를 가지고 있고 가운데 글자가 임수입니다.
임수는 물, 차므로 겨울로 지향하려는 것이 됩니다.
해수는 중기가 갑목이 되고 나무는 봄을 상징하므로 봄으로 거려고 하는 새로운 생명을 잉태하기 위한 진행과정으로 봅니다.
자수는 자의 씨앗으로 들어가기 위한 진행인 것입니다.
해수가 다음 계절인 갑으로 가는것은 정신적인 지향인 것입니다.

* 양인은 '오' 양간에만 있고 '오' 음간은 양인이 없습니다.
일간이 갑일때 천간에 갑이 있다면 비견, 을이 있다면 겁재, 지지에 인이 있다면 록, 지지에 묘가 있다면 양인, 갑에 양인 묘, 병에 양인은 오, 무에 양인은 오, 경에 양인은 유, 임에 양인은 자가 됩니다.
록은 일간을 돕습니다.
록이 년월에 있다면 건록 일지에 있으면 전록, 시지에 있다면 귀록, 년지에 있으면 세록이라 합니다.
년지에 세록이 되면 부모곁을 떠나고 일지에 있다면 상처한다고 합니다.
양인, 비견, 겁재, 건록은 명칭은 다르나 실제로는 한 집안의 동기간이나 다름없음을 알아야 합니다.

* 먹을 복이 많은 사람은 재성이 많은 사주입니다.
재성은 내가 극하므로 노력하여 벌어 들이는 재물이고 나를 길러주는 음식 등 내가 취하는 물질입니다.
생명에 꼭 필요한 기본적인 공기나 물등을 인성으로 본다면 밥이나 반찬등은 재성입니다. 재가 너무 지나치면 재와 살로 변합니다.
편법이나 불법을 써서 모은 돈이 빠져나갈 때는 단순한 손재는 물론 반드시 재물로 인한 관재가 생기고 더 나아가서는 건강을 해치거나 심하면 생명마저도 위협합니다.
같은 재성이라도 강할때는 재생관이 되어 명예나 관직에 도움이 되는데 신약시는 재생살이 되어 나를 해치는 것입니다.

* 살은 나를 치는 흉살입니다.
사주에 재성이 많은 3개이상 사람은 항상 재물에 대한 집착이 강해 재물을 모으는 일에만 전념하거나 무리한 재물을 탐해 자꾸 사업을 벌리는 경우가 많은데 돈을 벌기는 커녕 빈털터리가 되거나 화를 당해 관재가 따르며 항상 노력은 많이하나 결실이 없는 경우가 빈번 합니다.
대부분 자기의 능력이나 여건을 무시한채 욕심에 사로잡혀 분수를 모르고 일을 저지르다 보니 잘 되기는 커녕 가까운 주위 사람에게까지 피해를 주니 자신을 알아주는 사람과 멀어지고 따돌림의 대상이 되기 쉽습니다.
즉 재성이 태과하면 계획성과 판단력이 인내심에 해당되는 인성이 재극인이라 인성이 파괴되는 탓입니다.
사주에 재성이 많고 일주가 약한 사주를 재다신약사주라 하는데 그는 그림속의 떡과 같아서 보기에는 좋고 먹을 수 있을것 같으나 결과는 뻔합니다.
재성이 편중된 사람은 매사에 탐욕이 실패의 원인이 됩니다
공직이나 직장생활을 하는 사람은 뇌물이나 여자로 인한 문제가 간간히 발생됨을 알아야 합니다.

* 재성은 정, 편재를 막론하고 반드시 일간이 강해야 재를 감당 할 수 있습니다.
재가 많은것을 재다신약 부옥빈인이라 하는데 그는 은행이나 기업, 상점등에서 금전의 출납을 맡습니다.
사주가 극도로 신약하면 오히려 재물로 인해 재앙이 생깁니다.

재가 많은 사람은 사주에 록 (건록)이 년지, 월지, 일지, 시지건 간에 건록, 임관의 지지가 있어야 합니다.
재가 용신이고 지지에 록이 있으면서 충이 없다면 필히 부자가 되거나 귀하게 됩니다.
양인이나 겁재가 있어 강한데 재가 있다면 필히 식상이 있어야 상기와 같이 될 수 있습니다.

* 임수와 계수가 사주에 같이 있다면 지지에 해, 묘, 미가 있다면 생명을 키우는 싹을 함유한 격이되고. 없다면 생명의 싹이 없는 경우가 되어 임수의 본분인 생명체를 키울수 없어 격이 한참 떨어집니다.
임수와 계수는 봄, 여름, 가을 대우를 받습니다.
특히 좋은 계절은 여름입니다.

겨울철의 임수는, 본성이 차므로 인정이 없고 인기가 없으며 겨울은 어두운곳, 뒤쪽, 밤을 의미하며 잡일, 숨어서 하는일을 하거나 구조가 잘못 구성되면 속이 검거나 도둑이 되는 경향도 있습니다.
타 계절에 비해 한번은 고생을 심하게 할수도 있습니다.

여명에 임, 계 일주는 본 남편과 살지 못하는 경우가 많습니다. 단, 토가 근을두고 있다면 괜찮습니다. 특히 계, 해가 있다면 타인의 덕을 많이 봅니다.

사주에 금이 없고 목이 든든하고 신왕하다면 정이 많고 자선심이 많은 덕을 베푸는 덕인입니다.
물이 많이 필요한 시기이므로 어디가든 환영을 받고 할일이 많습니다.

* 신금은 재색이 뛰어나 미인이 많이 나오나 성격상 외로움이 따릅니다.
격국이 바르면 때묻는 것을 싫어하고 말과 행동, 그밖에 모든면에 모범적이고 사람을 사귀며 까다롭고 냉정합니다.
잘되면 대귀하고 못되면 천한업에 종사하는자가 되기 쉬워 기복이 심합니다.
신금은 사귀는것도 까다로운데 귀격을 형성하는 경우는 더욱 심하며 기토가 투간하면 격이 떨어진 경우이니 까다로움이 줄어 듭니다.
신금일주는 보편적으로 부부 인연이 박합니다.
신금은 사주 어디에 있어도 까다로운 성격을 갖습니다.
신금은 임수로 씻어줌을 가장 기뻐합니다.
임수를 볼때는 조후가 되어야 귀격을 형성합니다.

* 여자사주에 정재와 인수가 너무 많으면 음란하거나 천부가 됩니다.
정재가 공망되면 재화를 얻기 힘들고 처와 인연이 멀어지고 비빌 언덕도 없습니다.

* 사주에 비겁이 많다면 배우자가 바람을 피웁니다.
월일에 비겁은 맞바람입니다.

독립심이 강해 타인의 구속을 싫어하고 개인사업유리, 기술, 자격증보유등 독립적인 직업, 재능발휘등 고로 명리학을 업으로 많이 합니다.
식상이 많다면, 대중을 상대하는 상업, 예슬직, 흥행업, 음식, 유흥업등이 적당합니다.

재성이 많으면, 상업, 금융업, 중계업, 재정, 세무계통이 적당합니다.
관성이 많다면, 공무원, 대인관계를 많이 하는 활동적인 직업이 적합합니다.
인성이 많다면, 학문, 출판, 언론, 교육계통이 적당합니다.

* 재성이 용신이면, 재수대통, 발재, 흥업, 미식, 향응을 자주 받게 되고 남자는 여자가 따릅니다.
여인의 도움, 경사가 생고 여자는 시어머니, 친정아버지에 좋은일 남자는 처가에 경사가 생깁니다.
재성이 기신이면 금전고통, 사업실패, 추진일 허사, 문서위약 또는 해약, 보증문제 말썽, 학생은 학업에 지장, 남자는 여자로 인해 고통받고 여자는 시어머니와 갈등이 생깁니다.
재성이 형,충되면 도난, 수표부도, 파산, 재산압류, 채무독촉, 기물손괴, 이성구설, 불륜, 손재, 상부하거나 처와 생이별, 시어머니 신상에 흉화가 생깁니다.

* 삼합이나 방합은 힘이 강합니다.
희신으로 합한다면 당연 좋고 기신으로 합하면 대흉입니다.

* 월지에 기준을 두어 인월에 4지지중 인자가 있다면 몸을 다치기쉽고, 수족, 소아마비, 물에 빠지거나 등등 주의해야 합니다.

묘월에 묘자가 해당되고
진월에 신자며
사월에 축자가
오월에 술자가
미월에 유자가
신월에 진자가
유월에 사자가
술월에 오자가
해월에 미자가
자월에 해자가
축월에 자자가 해당됩니다.

* 임수가 을목을 만나면 희용신이면 출수홍련이면 급상승이고 기신이면 축수도화라 이별이 따릅니다.
임수가 병화를 보면 희, 용신시는 강휘상영 좋습니다.
큰부자를 뜻합니다.
그러나 기신에 신약이 된다면 일락서해로 왕창 망합니다.
임수가 계수를 본다면 희, 용신시는 천진지양으로 모든 경쟁에 강하고 기신이라 하면 저돌맹진하여 실패를 재산상 손해를 봅니다.
기토가 병화를 보면 용신시 대지보조로 대인관계가 좋으나 화가 너무 강하면 홍광천리라 인색, 허황, 사납고 급하고 되는일 없습니다.
경금이 갑목을 본다면 희, 신시는 흔목위재로 이재에 밝고 통솔력이 좋으나 기신시는 되는 일이 없습니다.
경금이 을목을 본다면 희신은 상합유정으로 좋으나 기신시는 태백봉성으로 돈과 여자에 미칩니다.

* 주로 바람이 나는 시기는 여자사주에 정관도 편관도 전혀 없으면 관살운 (정, 편관)에 바람이 납니다.
정관이 약한데 상관운이 오면 남편을 깔보는 생각이 강해져서 바람을 피우거나 남편과 이별을 하거나 남편을 극합니다. 관살혼잡에 재성이 많으면 부부운이 좋지 않습니다.
천간에 관성이 두개 이상이고 지지에 관성이 두개 이상이면 초혼실패 가능성이 매우 큽니다.
상관이 지나치게 많고 재성이 없다면 두번 시집갑니다.
갑자일 경오시 여자는 노출증이 있습니다.
진술축미가 전부있다면 남자 관계가 복잡하고 자오모유가 모두 있다면 바람 납니다.

* 화계는 예술을 뜻합니다.
고로, 예술, 학술, 기예 방면에 소질이 많습니다.
고독을 좋아하며 돈이 어려울때도 있습니다.

화계가 공망이 되거나 충이되면 도사, 승려, 목사, 철학가, 종교가, 예술가가 됩니다. 곤명에 화계도 있고 도화도 있으면서 귀인 또는 장성살이 있다면 반드시 배우나 가수가 됩니다.

* 양인살은 음간은 양인이 없는것으로 보고 특히 월지가 양인이면 위력을 발휘합니다.
그러나 편관을 합하는 효능이 있으니 무조건 나쁘다고만 보면 안됩니다.
월지가 양인시는 특히 관살이 있으면 좋고, 비겁과 관살의 역량이 균형을 이루면 고관대작, 장군이 될수 있습니다.
신강한 사주에 양인이 있다면 나쁩니다.
신약해야 합니다.
양인이 있고 관살이 있는 명조는 무관계통으로 나가는 경우가 많습니다.
양인이 많으면 처자복이 없고, 여자는 더욱 좋지 않습니다.
양인이 3개나 4개이면 장님, 벙어리가 되는수도 있습니다.
여자가 양인 상관 인수까지 있다면 자식이 없습니다.

* 명조에 형,충,파,해가 있는 여성은 식기, 그릇 잘깨고 사주에 식신이나 재가 있는 여명은 음식 손맛이 있습니다.
반대로 식, 재가 공망이거나 형충이나 12운성 병, 사가 해당된다면 음식솜씨가 없습니다.

* 여명에 양인이 있는 사주에 식신 생재가 된다면 귀부인입

니다. 또, 재가 강한사주가 관을 생하다면 역시 귀부인입니다. 재가 강한데 관이 많다면 두남편이요 내 돈주고 뺨 맞습니다.
정편관이 혼잡하다면 두집 살림의 가능성이 있습니다.

* 자식이 없는 사주로 여자사주에 일시가 인신충이나 묘유충 되는여자 자식이 없습니다.
생리가 전혀 없습니다. 남, 여가 정충이 죽어서 나옵니다.
아기란 음양이 완전히 조화를 이루는 부부에게는 아가가 태어 난다는 것을 생각하면 유산이 빈번함은 식상이 많은데 거기다 신약한 사주를 말하는데 인성운에 식상을 인극식으로 제어하고 원기를 도우면 생산이 즉, 아기가 생길수 있습니다.
아기가 생기는 해는 식상운이 제일 강한 해이고 조상님과 삼신전에 매일매일 기도해야 합니다.

* 육친의 기운을 무시하고 년주를 극하면 직업, 사회적으로 이사수, 선산묘지등 변동수가 나타나며
월주를 극하면
부모형제, 직장, 분가, 이사, 등 변동등이 나타나며
일주를 극하면
부부간 풍파, 사고, 관재, 질병등 변동이 발생되며
시주를 충하면
자식이 불리하니 자식이 여행, 사고, 질병등의 변동이 발생합니다.

* 공망시 통변에서
인수공망은 형제 친구와 불화, 부모와 일찍 헤어지고 인내력 부족, 계획부실, 용두사미격 입니다.
관성공망은 자식과 배우자복이 미흡, 직업의 변화가 많습니다.
재성공망은 처와 인연 없고 재물복도 없고 식복 또한 없습니다.
식상공망 아래사람에게 멸시, 남에게 배신담합니다.
비겁공망 인덕과 신의가 없고, 형제친구간에 불화합니다.

* 년지충은 고향생가 이별하고 부모문제에 갈등이 생깁니다.
자아의식, 도덕의식, 균형감각의 심리변화가 있습니다.
월지충은 직장주택 이동하고 부모형제 갈등이 있습니다.
사회적응력, 사회참여성의 변화가 옵니다.
일지충은 신상변동 동요하고 부부불화, 질병사고와 목표의식, 가치관의 변화가 옵니다.
시지충은 자녀희소, 늦은자녀 처자는 불길하고 결혼이 늦어집니다.
동기부여에 따른 과점해석의 변화가 옵니다.
원명은 숙명이고, 대운은 환경이며, 년운은 사건입니다.

* 물은 명당을 이루는 가장 중요한 요소입니다.
물이 있어야만 명당이 이루어 집니다.
기는 바람을 타면 흩어지고 물을 만나면 멈춥니다.

명당은 물이 천천히 흐르는 곳에서만 이루어집니다.

* 산은 인물을 관리하고, 물은 재물을 관리하므로 산과 물이 어우러져야 비로소 조화를 이룹니다.
큰 물가에 부유한 집과 유명한 마을이 많습니다.
비록 산중이라도 시내와 골자기 물이 모이는 곳이라야 여러 대를 이어가며 오래 살 수 있는 터가 됩니다.
비록 산중 이라도 시내와 골자기에 흐르는 물이 모이는 곳이라야 좋습니다.
논두렁이나 밭고랑에 있는 조그만 물도 풍수지리에서는 중요합니다.
물에는 여러가지가 있습니다.
큰바다, 강, 개천, 큰호수등 골짜기는 물이 없어도 물로 봅니다.
명당은 바닷가보다 오히려 개천이나 강이 있는 곳에 더 많이 이루어집니다.
물은 산과 음양의 조화를 이루어야 하므로 물이 지나치게 많은 곳에서는 균형을 잃어 명당이 이루어지지 않습니다.

* 여자사주에 비견이나 겁재가 강하거나 많으면 자존심이 강해 평생 독신으로 지내는 경우가 많으며 아니면 나이들어 남친을 두며 살아가는 경우가 많습니다.
천간에 비견이 3개이상이면 정이 많은 사람이라 다정이 병이되어 지조를 지키지 못하는 편이어서 이성관계가 다소 있을수 있습니다.

반면 평생 사회봉사만 하고 지내는 사람도 많습니다.
일주가 비견으로만 이루어져 있으면 부부사이가 화목하지 못한 경우가 많으며 배우자가 아프거나 구설수로 많이 괴로울 수 있습니다.
갑인, 을묘, 병오, 정사, 무진, 무술, 기축, 기미, 경신, 신유, 임자, 계해가 이에 해당 됩니다.

* 식신은 하나가 강하게 있는것이 좋습니다.
2개도 문제없으나 3개 이상이면 태과라하여 많은 어려움과 문제가 생기게 됩니다.
여자 사주에 식신이 너무 많고 이를 제어할 편인이나 정인이 없으면 자식 복이 박합니다.
또, 색을 좋아하는 면이 지나쳐 남편이 일찍 사망하거나 혼자가 되는 명이라합니다.

* 사주에 자, 오, 묘, 유 도화살이 두 개이고 수가 많은 사주는 바람기가 확실 합니다.
사주에 화가 없다면 애정적인 결함이 생기는 사주입니다.
사주에 묘와미가 들어 있다면 첫사랑을 못잊습니다.
축, 오 원진이 있다면 애정적 비운이 많습니다.
일지가 천을귀인에 해당하는 사주는 형충운과 공망운을 싫어합니다.
인수가 많은 사주는 관살운이 제일 좋고 인수가 약한 사람은 재운이 오면 아주 나쁩니다.
인수가 운에서 사나 절을 만나면 힘이 없는 중에 다시 재운을 만나면 생사를 알길이 없습니다.

* 재다신약인 사주는 비겁운에 부자가 되고 재가 약하고 신왕한 사주는 식신이나 재운을 만나면 큰 부자가 되어 뭇 사람들이 부러워합니다.
신금일주가 미월에 태어나고 임수가 있고 을목이 보이면 미인입니다.
임수와 갑목이 있거나 병, 기, 임이 투간되면 귀격이요 임, 갑, 병이 투간되면 대귀격이 됩니다.
신금은 고고하고 차고 냉정한 아름다움을 본성으로 가지니 혼자 있는 것을 좋아합니다.
비겁이 옆에 있는 경우 서로 부딪혀 깨지거나 상처가 나게 되니 같이 있음이 나쁩니다.
신금과 경금이 중중하면 상처가 많은 사람이며 수술을 많이 하는 삶입니다.
봄철의 신금일주가 묘월에 태어 낳다면 부모를 극하여 태어난 격입니다.
신금일주가 미월생으로 임수가 있고 을목이 있다면 미인입니다

* 해수 돼지는 장수를 상징하여 돼지해에 태어나면 오래 삽니다.
지혜가 뛰어나고 인정이 많으며 식복을 타고난 사람입니다.
변화무쌍하고 신앙심이 독실하며 예지력이 발달했습니다.

* 소는 우직하며 성실한 사람입니다. 평생을 살아감에 고생과 액이 많습니다.
냉기를 가득 머금고 있는 동토가 됩니다.
씨앗을 품속에 간직한 토입니다.

* 운에서 충을 하면
비겁 - 형제불목, 해외 또는 군대가고 믿었던 사람의 모함에 빠지고 여자는 이성문제로 망신합니다.
식상 - 공장운영자는 생산중단, 매출이 중단, 불량제품 생산되어 손해, 학생은 공부안하고 여자는 낙태, 유산등 발생하고 자손에 사고, 질병, 수술등이 발생합니다.
재성 - 현금분실, 재물손실, 사기, 부동산매매, 식중독, 부친우환, 처사고, 수술, 이혼등을 당할수 있습니다.
학생은 가출, 부친엔 불효합니다.
관성 - 사표, 좌천, 권고사직, 실직, 시험낙방, 명예훼손이 발생하고 자녀문제, 근심, 여성은 부부이별, 남편사고, 장거리 출장이 발생합니다.
인성 - 시험낙방, 계약파기, 부도, 허위문서, 경고장등, 모친낙상, 발병, 사망, 학생은 공부 안합니다.

* 월에 비겁두면 쇠고집입니다.
일에 비겁두면 배우자가 외방남자 둡니다.
월과 일이 역마로 충이면 바람끼 있습니다.
월과 일이 자묘형이면 바람핍니다. 성병도 조심해야 합니다.
월과 일에 비겁이 많다면 배우자가 바람피웁니다.

월과 일이 모두 비겁이면 맞바람 입니다.
일에 운에서 비겁이 합을하면 역시 바람입니다.
월간지가 상관 견관이면 바람 피웁니다. 이혼도 합니다.
일간 일지 간여지동이면 배우자가 바람피웁니다.
일지에 상관이면 바람납니다.
일지에 인성있다면 선생님등 연상 좋아합니다.
일지 비겁두면 삼각관계가 됩니다.
반드시 그런것은 아니니 참고적으로 통변해야 합니다.
명리학은 통계학이기 때문이고 안그럴수도 있음입니다.

* 사주에서 도화살

사주에서 子午卯酉 자오묘유 글자를 도화 글자라고 하는데 그냥 자오묘유만 있다면 그건 가도화, 가짜라는 말 그냥 왕지이지 도화살이 아니고 가도화는 작용력이 없습니다.
그러나 3개 이상이면 도화의 끼가 있다고 보고 자오묘유 글자 4개가 다 있다면 편야도화로 보는데, 이것 또한 도화살은 아닙니다.
(편야도화는 도화의 한 종류)

사주에 도화살이 있다할 때, 그 도화살에는 조건이 있는데 조건이 성립될 때 자오묘유 글자는 가도화가 아닌 진도화가 되고, 도화살이 있다고 봅니다.

42. 재물운 시기를 판단해 보자!

사람들은 모두 금전운이라든가 언제 재물운이 풀릴지, 돈이 들어올지 모두가 궁금해 합니다.

금전운이 풀리는 시기의 운이 오면 금전적인 원조만을 이야기하는것이 아니라 본인이 하고자 하는 일의 방향성에 대해서 그 분야의 전문가라면 내가 잘 모르는 사람에게도 자문을 구하고 본인의 비전을 부끄럽지 않게 부끄러워하지 않고 보여주게 됩니다.

움직이고자 하는 추진력과 거절을 두려워하지 않는 용기가 필요하기도 합니다.

이런일이 쉬울것 같지만 사실 생각만큼 쉽지는 않습니다.

나의 치부를 드러내는것 같고 거절당하면 너무 부끄럽고 상대가 나를 이상하게 생각할 것 같은 마음도 듭니다.

그런데 이러한 재물운이 시작이 되면 이런 마음의 방향성이 굉장히 달라집니다.

그 시기의 운을 사주로 보았을 때 모두의 운이 아주 제각각의 패턴처럼 보이지만 사실상은 억부용신이라고 하는 내 기운의 밸런스를 잘 다스려주는 운이 들어올 때 이러한 일들이 잘 나타나게 됩니다.

억부용신이라는 건 우리가 가지고 태어난 사주의 밸런스를 잘 잡아주는 기운을 말합니다.

사주의 힘이 너무 신약하거나 신강할 때 그 기운을 잘 중화시켜주는 역할을 하는 기운입니다.

신약하신 분들은 자신감이 떨어지거나 실행력이 약한 부분을 들어오는 운이 보완해 주니까 힘을 내고 일어나서 도전할 수 있는 힘을 만들어 주고 신강하신 분들은 본인이 혼자서 상황을 극복하려고 하는 점이 운이 들어옴으로써 조금 더 융통성 있게 상황을 받아들이고 남에게 먼저 다가가서 부탁할 수 있는 유연함을 만들어 줍니다.

특히 사주상으로 나에게 재물을 의미하는 기운의 재성은 많은데 본인의 기세가 신약했던 분들이 운에서 나를 도와주는 운이 들어올 때 본인이 가지고 있는 아이디어 잠재력이 기지개를 펴며 일어나는 경우가 많습니다.

또한 이런 운들이 나를 도와주는 귀인을 데려오는 운과 맞물려 있을 때 본인의 노력과 나에게 도움을 주는 사람들과의 합이 좋은 시너지를 만들어서 더 풍성한 결과로 나타나게 됩니다.

실제로 운이라고 생각을 하시고 본인들이 한 건 별로 없다고 생각을 하게 됩니다.

그런데 사주를 열어보면 단지 운이라고만은 할 수 없는 공통점들을 찾아볼수 있습니다.

사주 팔자 8칸 안에는 내가 가진 것들이 숨겨져 있습니다.
이것을 격국이라고 하고 이것을 태생적으로 각자에게 주어진 무기로 볼 수 있습니다.
우리 모두에게 주어진 무기가 각각 다릅니다.
그리고 계절이 순환하는 것처럼 모든 운도 돌고 돌기 때문에 이런 나의 무기에 걸맞는 운이 사람에게는 꼭 몇 번 정도는 주어질 수밖에 없습니다.

인생에는 세 번의 기회가 온다는 말처럼 그때 중요한 것은 내가 내 무기를 잘 휘두를 수 있는 그 자리에 있어야 그 운을 받아 칠수 있습니다.
대부분 여러 번 나의 무기를 휘둘려 보는 시도를 하신 다음에 자기의 자리를 찾아가신 분들이 많습니다.
어릴 때부터 많은 아르바이트를 시도를 해 봤던지, 회사 다니시면서도 본인이 원하는 분야를 놓지 않고 계속 공부하거나 겸업을 했던지, 본인에게 안 맞는 것을 알고 과감하게 움직이는 것과도 같은 결정이 되겠습니다.
내가 가지고 있는 무기를 알고 그것에 맞는 자리로 가고자 하는 노력을 하거나 새로운 시도나 배움을 멈추지 않는 것이 필요합니다.
나의 무기에 맞는 자리만 잘 찾는다면 언젠가 분명히 한 번은 터뜨릴 수 있는 시기가 찾아온다고 봅니다.

또 다른 특징은 방향성의 전환입니다.
재성운이 들어올 때 이런 생각의 전환점이 잘 만들어 지게 됩니다.
어떻게 하면 재물을 실제로 만들어낼 수 있는지에 관심이 가게 되고, 남는 시간에 재테크 공부도 하고 조금씩 본인이 가지고 있는 것들을 사용하면서 재물이라는 결과를 만들어 낼 수 있는 시도를 점점 하게 됩니다.
보통은 사주에서 천간으로 이런 재성운이 와서 나한테 긍정적인 역할을 할 때 이러한 일들이 생겨난다고 봅니다.
돈을 쓰는 방향에서 돈을 불리는 방향으로 노선이 변경이 됩니다.
이때 큰 돈이 드라마틱하게 생기는 건 아니지만 돈이 모이는 계기점을 만들어주는 주요한 역할을 합니다.

또 다른 징후는 어려운 고비를 꾸역꾸역 넘어서 터지는 경우입니다.
사람들마다 각각 제운의 크기도 다르고 들어오는 모양도 다릅니다. 그중 자산의 규모가 상당한 자수성가형의 사업가 분들이나 불을 많이 축적한 분들은 대개 정말 힘든 시기 포기할까 말까 하는 고비를 딱 넘긴 후에 재물운이 수직 상승한 경우가 굉장히 많습니다.
시련이나 인내가 거의 극에 달아서 내가 포기하고자 하는 순간 그 직전이 터닝 포인트가 되는 분들이 아주 많습니다.

그 고비와 전환점은 시기적으로 바로 앞뒤에 붙어 있었습니다. 지금 당신이 그만큼 힘든 이유는 당신의 잠재력이 그만큼 크기 때문입니다.

사주에 돈이 만들어지는 모양은 굉장히 다양합니다.
그중에서도 가장 강한 기운 중에 하나로 삼합이라는 게 있습니다.
삼합은 각자 다른 속성을 가진 기운들이 모여서 하나의 기운으로 바뀌어 버리는 겁니다.
나무가 불이 되고 금이 물이 되는 과정을 거치는 겁니다.
그런 일련의 과정이 마냥 순탄하기만 할 수가 있을까요?
어렵습니다.
그러나 이런 과정을 거쳐서 만들어진 삼합은 그냥 불이나 그냥 물보다 훨씬 더 강한 기세를 가지게 됩니다.
그런 시기를 잘 버티신 분들이 그 강한 힘에 걸맞는 부를 형성하게 되는 것입니다.

. 재다신약 사주인데 비겁이나 인성운이 오면 재물을 얻습니다.
. 신왕사주에 편재정재운이 오면 재물을 얻습니다.
순수한 편재운에는 횡재도 합니다.
. 신왕사주에 식상이 희신이면 식상운에 재물을

얻습니다.(관용신은 예외)

. 식신격이거나 식신이 투출하여 왕성한데 편관운이 오면 제살하여 재물을 얻습니다.

. 편재운에 사주의 편인기신을 제압하면 문서계약으로 재물을 얻습니다.

. 편인, 정인 희신운이 오면 문서계약으로 부동산을 취득하거나 재물을 얻습니다.

. 희신운인데 재관의 삼합국을 이루면 재물을 얻습니다.

. 남성은 정재 희신운에 처덕으로, 여성은 편관, 희신운에 남편덕으로 재물을 얻습니다.

43. 손재 파산 시기에 대해 예측해 보자!

. 비견 기신이면 비견운에 분가, 창업, 사업확장의 충동이 생기는데 실패합니다

. 비겁이 사주에 많아 기신이면 동업이 불리한데 비겁운에 동업하면 실패합니다.

. 비견 기신으로 사주의 편재 희신을 충극하면 손재파산합니다.

. 겁재 기신인데 겁재, 양인운에 사주정재를 파극하면 손재파산합니다.

. 신왕사주에 비겁이 태왕하고 식상이 없는데 재가 있는 사주는 비겁운이 오면 군비쟁재가 되니 손재하거나 파산합니다.

사주에 식상이 있으면 흉이 덜합니다.

. 겁재 기신운에 겁재가 사주편재와 합이 되면 손재합니다.

. 신약에 편재기신운은 낭비벽으로 재물을 낭비하거나 투기, 도박으로 파산합니다.

. 정재 기신운에 사주에 효신이 있으면 금전거래로 피해를 봅니다.

. 정재 기신인데 사주의 편재를 만나면 낭비로 재산을

탕진합니다.

. 정재 기신운에 여자는 금전문제로 고통 받습니다.

. 신약한데 칠살기신운에는 질병가난에 고통받습니다.
삼형을 겸하면 더욱 나쁩니다.

. 효신격에 정관기신운은 공직자의 말을 믿고 투자하다
손재하거나 실패합니다.

. 비견 기신운인데 친구를 믿고 돈거래를 하다 배신당하고
손재파산할 수 있습니다.

. 편재 기신운에 사기를 당하여 파산할 수 있습니다.

. 편인 기신운에는 사기, 도난, 함정, 배신, 모략을
조심해야 합니다.

. 편재 기신운에는 아내나 여자로 인하여 손재파산할 수
있습니다.

. 재다신약에 재운이 오면 처와 재산으로 인하여 재앙을
받습니다.

44. 사업, 취직, 승진, 합격시기 유추

1) 비견 희신이면 비견운에 분가, 창업, 사업확장하면 좋습니다.
그러나 비견 기신운이면 창업하고픈 충동이 있어도 참아야 하고 창업하면 실패합니다. 동업도 실패합니다.
2) 겁재희신, 식신희신이면 겁재운, 식신운에 동업으로 사업을 시작하면 좋습니다.
3) 식신, 편재, 정재, 편관, 정관 희신운에는 사업이 잘 풀리고 매출이 오릅니다.
4) 정인, 편인 희신운에는 윗사람의 도움으로 사업이 잘 풀립니다.
5) 상관 기신운에 사업가는 매출이 떨어지고 손재가 발생합니다.
6) 사주에 정관이 있는데 칠살기신운이 오면 관살혼잡이 되어 매사 복잡하고 일이 뜻대로 되지 않습니다. 형충을 겸하면 더욱 좋지 않습니다.
7) 편인 기신운에는 대체로 모든 일이 방해받아 되는 일이 없습니다.
8) 사업가는 정인기신운에 경영난을 겪습니다.

9) 정인 기신운에 여성은 남편의 사업이 잘 풀리지 않습니다.
10) 칠살 기신운에 비겁희신을 충극하면 사업확장등 허욕을 부리다 파산합니다.
이에 따라 소송, 압류, 채무독촉등으로 도망다니는 신세가 됩니다.
11) 겁재 기신운에 사업가는 경쟁자,거래업체로 인하여 억울한 재산상 손실을 보거나 소송에 휘말립니다.
12) 원국에 관성이 많고 신약이면 비겁 희신운에 주변의 도움으로 승진, 취직합니다.
13) 직장인은 식신희신운에 승진하거나 월급이 오릅니다.
14) 정재 편재 희신운에 사주의 관성희신을 도우면 취직, 승진, 영전합니다.
15) 편관 희신운에 취직하거나, 직장인은 승진하고 수험생은 합격합니다.
16) 정관 희신운에 사주의 겁재를 제압하면 취직, 승진, 영전합니다.
17) 정인 희신운에는 수험생은 시험에 합격합니다.
18) 정인격에 상관운을 만나면 상관을 제압하여 명예를 얻습니다.

19) 정관 희신운에 사주의 인수희신을 생조하면 명예를 얻습니다.
20) 편인 희신운에는 문학, 예술, 기술분야에 이름을 날립니다.
21) 신왕하고 관성희신이면 칠살운이나 관성운이 오면 이름을 얻고 입신합니다.
22) 편인격에 인성운이 오면 직업변동이 많습니다.
23) 합과 충을 같이 하면서 대운지지가 토운이면 직업변동이 됩니다.
24) 사주에 상관이 있는데 겁재운에 이 상관을 도우면 정관을 극하니 직장을 잃거나 명예가 실추합니다.
25) 사주에 정관이 미약한데 겁재기신운이 오면 명예가 실추합니다.
26) 식신 기신이 사주의 편관희신을 극하면 명예가 실추되거나 직장을 잃습니다.
27) 상관 기신운에 관성을 극하면 직장인은 감봉, 좌천되거나 직장을 잃습니다.
28) 정재 기신운에 공직자는 좌천, 퇴직합니다.
29) 칠살 기신운에 직장인은 좌천하거나 실직합니다.
30) 사주에 상관, 겁재가 많거나 상관격에 정관 희신운이

오면 명예가 실추됩니다.

31) 정관 기신운에 직장인은 좌천. 감봉. 실직하고 수험생은 불합격합니다.

32) 편인 기신운에 직장인은 감봉. 좌천. 실직합니다.

33) 편인 기신운에는 수험생은 합격하지 못합니다.

45. 관재소송(官災訴訟), 사고수 유추

1) 상관운에 삼형을 겸하면 관재수입니다.

2) 상관 기신운에 사주의 미약한 관성을 충하면 관재, 송사, 시비다툼이 발생합니다.

3) 상관 비겁사주에서 운로에서 상관운이나 정관운이 오면 관재수입니다.

4) 사주에 편관 희신이 미약한데 식신운에 충을 받으면 관재나 송사, 구설이 있습니다.

5) 칠살 기신운에는 관재구설과 사기등으로 검찰청, 경찰서에 출입이 빈번합니다.

6) 정인 기신운에는 재산, 문서관계로 송사나 분쟁이 발생합니다.

7) 용신희신(특히 관성)이 사주형충이 있는데 운로에서 거듭 형충이 오면 관재수입니다.

8) 관살혼잡격 사주인데 운로에서 다시 정관, 편관운이 올 때 관재수입니다.

9) 사주에 괴강이나 양인이 많은데 운로에서 이를 형충하면 관재수입니다.

10) 군겁쟁재(群劫爭財)사주인데 운로에서 비겁운이 오면

관재수입니다.

11) 비견 희신이라도 사주지지에 칠살이 많은데 충하면 사고를 당하는 흉사가 있습니다.

12) 겁재운에 형충을 겸하면 피를 보니 교통사고나 몸에 칼을 대는 수술을 합니다.

13) 정재 희신이라도 사주겁재가 많은데 충이 되면 범죄피해, 교통사고나 재난이 있습니다.

14) 사주대운에 칠살, 효신, 삼형이 겹쳤는데 정인 희신운이면 죽을 위기에서 살아납니다.

15) 칠살 기신운에는 노동자는 과중한 노동으로 힘들고 부상을 당하기도 합니다.

16) 겁재 기신인데 겁재운에 정재를 파극하면 처가 사고를 당하거나 질병, 수술합니다.

46. 이사이동, 변동수가 강한시기

1) 대운세운이 사주 연지, 월지, 일지를 합형충하면 이동수입니다.
2) 목일간이 왕성하고 지지에 토가 약하면 이사이동을 많이 다닙니다.
3) 사주에 역마가 없어도 명궁이 역마이면 해외이민을 갑니다.

47. 만남, 결혼, 불화, 이별수가 강한 시기

	시(時)	일(日)	월(月)	년(年)
	시주	일주	월주	년주
천간	乙 (시간)	戊 (일간)	癸 (월간)	丁 (년간)
지지	卯 (시지)	戌 (일지=배우자궁)	卯 (월지)	酉 (년지)

이혼수가 높은 첫 번째 시기는 배우자궁(일지)이 불안해질 때입니다.

사주의 모든 8개의 자리는 각각이 가지고 있는 역할과 나에게 주는 영향들이 다릅니다.

그중에 일지라고 하는 자리, 즉 일간인 나 아래에 자리한 이 자리가 나에게는 배우자 자리에 해당이 됩니다.

그럼 내 사주에서도 이 자리가 주변의 다른 글자들과 잘 어우러져서 안정적이고 튼튼한 모양을 이루고 있을 때 기본적으로는 이혼의 가능성을 낮게 점쳐볼 수 있겠습니다.

반대로 내 사주 배우자궁 일지가 옆에 있는 글자들이랑 싸우고 있거나 공격을 받고 있을 때에는 배우자궁이 불안정하고 힘이 없으니 궁합을 잘 봐서 판단해 나가야 합니다.

그런데 아무리 배우자궁이 안정적이라 하더라도 세운에서 숙명적으로 한 번씩은 배우자궁이 약해지는 시기가 올 수밖에 없습니다.

그런 시기를 사주에서는 충이라고 합니다.

사주의 모든 기운들은 상생과 상극의 기운을 가지고 있습니다.

그중에 배우자 궁에 있는 글자와 서로 상생이 반대인 글자가 들어올 때 내 배우자궁이 충돌을 하면서 배우자궁이 일시적으로 약해집니다.

인목과 신금, 사화와 해수, 자수와 오화, 묘목과 유금, 진토와 술토, 축토와 미토가 만나면 서로 충돌해서 부딪히는 관계에 해당이 됩니다.

배우자 궁이 안정적이고 튼튼한 분들도 이럴 때 좀 조심을 하셔야 하지만 배우자궁이 이미 사주 내에서 충돌을 하고 있는데 또 세운에서 들어오면서 더 강한 충돌을 만들어내는 분들은 특히나 더 주의를 기울여야 합니다.

그런데 이런 충돌의 시기보다 사실은 조금 더 중요한 시기가 있습니다.

바로 충돌의 시간 앞과 뒤에 붙어 오는 원진 귀문입니다.

원진은 대체로 부부 사이의 관계와 같은 대인관계에 관한 것이고 귀문은 사주 당사자의 정신적인 측면에 관한 것입니다. 원진과 귀문은 십이지지 중 두 개가 모여 만들어진 여섯 개의 조합인데 그 중 네 개가 겹칩니다.

원진은 진해(辰亥), 인유(寅酉), 자미(子未), 오축(午丑), 묘신(卯申), 사술(巳戌)이고, 귀문은 진해(辰亥), 오축(午丑), 사술(巳戌), 묘신(卯申), 인미(寅未), 자유(子酉)입니

다. 진해, 오축, 사술, 묘신은 원진과 귀문이 같습니다. 다른 것은 원진은 인유와 자미이고, 귀문은 인미와 자유라는 것입니다.

원진 귀문은 부정적인 감정에 몰입하게 되고 주변의 상황이나 관계 환경에서 받는 스트레스에 특히나 취약해지는 시기이며, 원진귀문은 그런 감정들을 만들어내는 사례입니다.

이런 감정의 문제는 나와 제일 가까이에 있는 배우자 혹은 연인과의 관계에서 문제를 일으키기 쉬워집니다.

예를들면 을묘일주라면 유금이라는 글자가 들어오는 해에 묘유충이 생기는데 유금이 들어오기 전에 자축인묘 진사오미 신유 '신'이 들어옵니다.

충이 발생하는 전년에 묘신 원진귀문이라는 게 먼저 발생이 됩니다. 그러니 이때 갈등의 씨앗이 발화하기 쉽고 다음 해에 따라오는 충돌하는 시기에 확 터져 나올 가능성이 높습니다.

또, 내가 무오일주라면 오와 반대되는 글자인 자가 들어오는 시기에 충돌이 일어납니다.

근데 해자축 자 다음의 축년이고 축은 오라는 글자랑 만나면 축오 원진 귀문관살이라고 하는 감정의 비틀림 사이의 주관화 조절의 어려움을 만듭니다.

충돌의 시기에 생겨나는 갈등이나 관계의 불협화음이 살짝

남아있다가 그다음 해에 원진 기문이 들어올 때 뒷끝으로 나타날 수가 있습니다.

음양별로 순서는 다르지만 모든 충돌의 시간 충의 시간 앞이나 뒤에는 이런 감정의 조절이 어려운 시기 원망의 시기가 옵니다.

그러므로 충돌 그 자체에만 집중하기보다는 그 앞뒤로 따라오는 원진 귀문의 시기에 어떻게 대처하고 불씨를 꺼놓는가 그것을 인식하는 것이더 중요한 일에 해당이 될 수 있습니다.

충과 붙어있는 원진귀문의 시기에 부부나 연인은 경계를 하셔야 합니다.

그러니 이때에는 다름을 인정하시고 크게 문제되는게 아니라면 내 삶의 방식을 너무 강요하지는 말아야 합니다.

두 번째로 높은 비율로 이혼하는 시기는 조금 광범위한데 내 사주에 부정적인 역할을 하는 오행이 과해질 때 문제가 생길수 있습니다.

예를 들어 관성이 많아서 이미 과한데 관이 더 강하게 들어올 때나 인성 재성 식상도 마찬가지에 해당이 됩니다.

특히, 비견이 사주에 강해서 부정적인 역할을 하고 있는데 더 강해질 때에는 연인 부부관계에서 조심해야 합니다.

어느 한쪽의 오행이 강해진다는 것은 사주에서는 결국 불균형을 의미합니다.

내 사주가 이런 오행의 비율이 조화롭다면 큰 문제는 아닐 수 있지만 내 사주 내에 이미 한쪽으로 오행이 과하게 쏠려 있어서 치우친 모양을 띠고 있는데 한쪽으로 더 힘을 보태 주는 오행이 들어서게 된다면 사주는 균형이 더 맞지 않게 되고 강한 오행과 반대되는 오행은 약해질 수밖에 없습니다.

마지막으로 사실은 이 시기가 가장 문제가 되긴 하는데 각자의 대운이 다른 방향을 향할 때입니다.

대운은 10년이라는 긴 시간 동안 나에게 영향력을 행사하는 운을 의미합니다.

10년 동안 내가 추구하는 방향이라든지 목적성 수단이나 나의 생각, 거기에서 비롯된 행동 모든 것들이 이 대운에 적잖은 영향을 받을 수밖에 없습니다.

그런데 그런 대운이 서로 다른 방향을 향한다면 문제가 될 수 있습니다.

나는 서울이 나의 목표이고 남편은 부산을 목적지로 정했다면 가는 길이 당연히 달라질 수밖에 없습니다.

예를 들어 이번 운에 나는 좀 편하게 산도 보고 들도 보면서 편한 자연인의 삶을 추구하고 싶은데 나의 연인은 이번 대운에 굉장히 욕심이 강해지고 돈과 승진, 사회적인 성공에 집착하게 되는 대운이 되면 즉, 너무 극과 극으로 차이가 난다면 교육관, 경제관, 가치관까지 어느 순간 나와 같은 곳을 보며 계획을 짜던 그 사람이 아니라 다른 사람이 되어버려서 어려움에 봉착할수 있습니다.

사실 이렇게 대운이 서로 다른 방향을 추구하면서 엇갈릴 때에는 장기적으로 꾸준히 이어지는 갈등이나 사고 방식의 차이 때문에 1~2년 잠깐 갈등이 올라오는 시기보다 컨트롤하는 것이 조금 더 어려울 수 있습니다.

정말 힘들게 다투면 이런 시기는 나와 너를 위해서 잠시 떨어져 있는 것을 결정하는 것도 하나의 방법이 될 수 있습니다.

서로 간의 간극을 줄이는 노력을 해보신다면 이런 어려운 시기도 슬기롭게 잘 이겨나갈 수 있을 것입니다.

男命

1) 남자는 정재 편재운에 미혼자는 결혼하고. 기혼자는 여자가 생깁니다.

2) 사주가 재다신약으로 비겁용신인데 비견 겁재운이 오면 결혼합니다.

3) 신약사주에 정인 희신운이 오면 결혼을 합니다.

女命

4) 여명은 식신 상관 희신운에 결혼하거나 아이를

임신합니다.

5) 상관 희신운에 기혼여자는 출산합니다.

6) 정관 편관 희신운에 결혼하거나 남자를 만납니다.

세운 천간이 희신운이고 세운 지지가 일지와 합이 되는 때 가장 많이 결혼합니다.

7) 겁재 기신운에는 가정이 불화하고 다툼이 많습니다.

겁재운에 군겁쟁재가 되면 배우자와 이별합니다.

사주정재가 미약한데 겁재가 충하면 상처(傷妻)합니다.

8) 식신 기신운이면 아내와 불화하거나 바람을 피웁니다.

여명은 이혼할 수 있습니다.

9) 상관 기신운에는 가정이 불화하고 심하면 이혼하고

미혼자(여명)은 헤어집니다.

10) 신약하여 편재 기신운이면 가정이 불화합니다.

11) 정재 기신운에 정인희신을 파극하면 애정문제로

가정파탄, 고부갈등이 깊어집니다.

12) 정재 기신운에는 남자는 여자문제로 고통받습니다.

13) 정인 기신운에는 가족불화, 고부갈등이 심해집니다.

사주의 정재와 극충이 있으면 더욱 심합니다.

14) 인수격에 관성이 없고 대운이 재운으로 인수를 파하면

파가(破家)합니다.

15) 칠살이 있는데 정관 기신운이 오면 관살혼잡으로 여명은 남편을 바꿉니다.

형충이 있으면 더욱 확실합니다.

16) 여명은 상관기신운에 사주의 미약한 관성 또는 용신을 충하면 이혼합니다.

17) 정재 기신운에는 친구.동료와 사이가 나빠질 수 있습니다.

18) 칠살 기신운에 사주비겁희신을 극하면 형제친구간에 불화합니다.

19) 정관 기신운에 사주의 비겁희신을 극하면 형제간에 불화하거나 의절합니다.

20) 식신 기신운이면 여명은 자식문제로 속을 썩입니다.

21) 사주에 상관이 태왕한데 상관운이 되어 時支를 충하면 자식을 잃을 수 있습니다.

22) 정재 기신운에 정인희신을 극하면 공부.학문에 태만하여 성적이 저조합니다.

23) 편인 기신운에 학생은 공부를 안하고 정서불안이 됩니다.

24) 식신 희신운에 학생은 두뇌활동이 활발해져 성적이 오릅니다.

25) 학생은 정관 정인 희신운에 성적이 향상됩니다.

48. 장수, 요절, 사망시기 판단

1) 일주가 힘이 있고, 중화를 이룬 사주.

2) 木일주가 힘이 왕성하고 설기, 제압하는 오행이 있을 때.

3) 일주가 힘이 있고 식신이 有氣할 때.

4) 일주가 힘이 있고 재성이나 관성이 有氣할 때.

5) 사주가 화평하고 극충이 없으며 길신이 극충을 받지 않을 때.

아래의 경우 요절하며, 아니면 질병으로 신음하거나 사고로 몸이 상합니다.
사주에서 구제하는 바가 있는지 보아야 합니다.

1) 身弱에 印綬용신인데 財가 투출했고 대운財運으로서 인수의 死絶地가 되는 운.
(천간에 비견겁재가 있으면 요절을 피합니다.)
2) 身弱에 官殺混雜인데 대운이 관살혼잡운이고 상관과 정관이 형충이 되고, 세운도 상관견관에 형충이 되는 해.
3) 사주에 比劫이 많고 財가 약하여 군겁쟁재인데 세운이 陽刃과 合沖이 되는 해.
4) 身弱하고 傷官格에 財가 왕성한데 관살혼잡이고 陽刃과

충하며 세운도 陽刃과 沖되는 해.

5) 歸祿格인데 형충파해가 있고, 칠살을 보며, 관성이 양인을 충할 때

세운에서 또 관살혼잡이 되고 양인충합이면 요절

6) 財多身弱인데 七殺이 있고 正官세운이 와서 관살혼잡이 되면 흉합니다.

사주에서 구제하면 무난하고 구제하지 못하면 흉이 됩니다.

* 사주상 사망시기 판단법

사람의 수명이 다했다고 판단하는 건 의사가 해야지 술사가 말하는 건 옳지 않습니다.
술사는 보편적으로 사주의 흐름을 보고 이런 경우에 허약하여 사망하는 경우가 많으므로 통계적으로 사망시기라고 보는 것입니다.
사망시기를 알려 주는 건 철학자의 도리가 아니지만 위급하거나, 부모님의 장례를 준비해야 하는 자식 입장에서 문의하는 경우에는 그 시기를 판단해보기도 합니다.
사망시기를 판단하는 방법은 학파마다 술사마다 다르지만, 그렇다 하더라도 선인들이 즐겨 사용하는 방법이 근간이 됨은 분명합니다.
자평명리학에서는 대체로 형충파해합, 12운성, 격국와 용신, 대운과 세운 나아가 복음을 가지고 논합니다.

1) 용신이 대운과 세운에서 형충극을 당하면 위험
2) 용신이 대운과 세운에서 사절묘를 만나면 위험
3) 격국이 대운과 세운에서 사절묘를 만나도 위험
4) 일간이 신약한데 대운과 세운에서 더욱 약해지고 허해지는 경우 위험

5) 일간이 신왕한데 대운과 세운에서 더 신왕해지면 역시 위험

6) 격국이 대운과 세운에서 형충파해나 합이 되거나 파격이 되는 경우 위험

7) 초년운이 사절묘로 가거나, 노년운이 생왕지로 가면 위험

8) 대운이 반복음인데 세운에서 복음이나 묘를 만나면 위험

9) 명조에 있는 복음이 대운이나 세운에서 복음을 보면 위험

10) 일지 형충이 이루어진 명에 운에서 제차 형충을 만나면 위험

11) 사주 원국에 병이 중한데 행운에서 또 병을 만나면 위험

위의 내용 외에도 많은 이론들이 있지만, 위의 이론을 크게 벗어나질 않습니다.
유의해야 할 점은 위의 형국 만으로 사망시기를 단편적으로 판단한다면 오류를 범할 수 있다는 점입니다.
위의 요건이 갖췄더라도 사망하지 않는 경우도 많으니 반드시 사주팔자와 대운 그리고 세운의 흐름을 종합적으로

보고, 또 타 역학 과목과 중첩으로 본다면 적중률을 더 높힐 수 있습니다.

49. 행운수(數)법칙과 행운수를 조합하는 법

우주는 수로 구성되어 있습니다.
태어나면서부터 년, 월, 일, 시가 정해지고 나라에서 만들어 주는 주민등록번호를 부여받게 됩니다. 또한 살아 가면서 여러 가지 숫자를 만들어야 하는 경우도 생기고 이렇게 만들어진 숫자는 생활속에서 본인이 바꾸지 않는 한 계속적으로 사용 됩니다.
본인이 사용하는 전화번호, 주민등록번호, 비밀번호, 통장번호, 자동차번호 등을 아래 내용에 의해 길한수인지 흉한수인지를 판단해 보고 만들어 보기를 바랍니다.

중복된수 1111, 5678, 0000등은 불행을 초래하는 가장 위험한 수입니다.

합이 4의수는 요절 방탕, 고독, 저축해도 물빠진독, 노력해도 성과 없습니다.

합이 9, 10의수는 파멸, 불행, 파산, 빈천하게 되며, 단명하거나 죽을 고비를 넘기게 됩니다.

*독립된 수로서는 좋을 수 있으며, 사주와 조화만 맞으면 행운의 수로 사용 가능합니다.

2개이상을 합하여 4, 9, 10이 되는 경우에는 그 사람의 수리에 맞지 않는 조화라면 불운합니다.

주민번호 앞 6자리, 뒤 7자리를 각각 합하여 9, 10이 되면
소원성취 할 수 없고 모든 진행과정 중단되며, 건강에도
문제가 생겨 단명할 수 있습니다. 저녁해가 서산으로
넘어가 사방이 캄캄 해지면서 갈 길은 아득한 형세입니다.

자동차 번호의 합이 9, 10이 되면 1~3월생과
10~12월생은 북쪽과 서쪽에 함정이 있어 항시 조심하여야
하고 1~3월생은 동쪽과 북쪽을 조심해야 하며 특히
다리위 조심해야 하고 이름의 수가 9, 10이 나오면 황천의
장부에 편입된 것과 같습니다.

은행비밀번호의 네자리수 합이 12이거나 자동차번호와
주민등록번호의 앞6자리, 뒤 7자리의 합산이 12가 나오면
크게 실패합니다.
매사에 욕심을 부려 화를 부추기고 얼토당토 않은 일을
하다가 크게 실패하는 형세가 됩니다, 또한 신장과 방광에
이상 발생하여 가족과 이별하는 수도 생깁니다.

이름의 수리가 12가 나오면 많은 일에 뜻밖의 실패,
자동차번호 4자리수의 합이 12가 되면 합이 9, 10인
경우와 같이 됩니다.

14의 숫자는 빈곤과 파괴를 당하게 됩니다.

은행비밀번호가 그런 경우는 밑빠진독에 물붓기, 자동차는 빈번한 접촉사고, 주민등록번호의 앞 · 뒤가 그런 경우는 파괴 몰락으로 빈곤하며, 특히 혈육이 일찍 사망하는 등 대단히 나쁜 형상입니다.

0000도 불운하고 파괴와 재난을 당하는 수

19의수도 은행비밀번호, 텔레뱅킹번호, 자동차번호, 주민등록번호등을 위와 같이 합하여 나오면 위험천만하고 자동차번호가 그럴 경우 도난사고 발생하므로 항시 주의 필요합니다.

* 위의 숫자들이 사주와 용이 되면 그렇지 않습니다.

19와 20은 1~3, 10~12월생에게 흉한 숫자로서 재능과 능력이 있어도 예시된 사고를 미연에 방지해야 합니다.

20수는 주위 사물이 모두 파괴되는 형상이요, 단명한다, 하는일마다 실패거듭 됩니다.

22수는 병약하고 고독해지며, 모든일이 실패의 연속(비밀번호, 차량번호, 주민번호 및 기타 비밀번호) 1~3월, 10~12월생에게는 더욱 나쁩니다. 모든일이 허사가 되며, 고통 속에서 헤매는 형국이다. 많은 어려움으로 부평초처럼 떠돌아 다니게 됩니다.

봄과 여름에 태어난 사람이 이 숫자의 자동차 번호를 가졌다면 대관령 비탈길에서 추락하는 형세의 사고가 발생합니다.

또 이 숫자의 은행비밀번호는 검은 현무가 그림자를 밟고 따라다니는 형국이니 매사에 신중하고 조심 하여야 재산을 일치 않습니다.

숫자의 합이 27과 28이면 풍파와 좌절을 연속으로 겪습니다. 또한 밑 빠진 독에 물붓기 형상이며 7~9월생과 10~12월생에는 더욱 심한 현상이 나타나 매사 어린아이가 천하장사에게 덤비는 격입니다. 재능과 재력이 있고 성공할 수 있는 실력이 있어도 불리한 대우를 받거나 실패자로 각인되어 사회적 낙오자가 됩니다. 또한 널리 명예를 갔더라도 30~40살 무렵만 되면 그 형세가 하락하고 안팎으로 불화가 발생하며 세월이 지날수록 모든일이 악화일로를 걷게 됩니다.

특히 28의 수가 되면 토끼가 호랑이 굴이 들어가는 격입니다. 대부분 역경과 파란에 휩쓸려 좌절하게 되는 불길한 수입니다. 이수를 가진 사람은 성질이 지나치게 강하고 고지식하며 꼼꼼하고 까다롭습니다. 그래서 타인으로부터 비방과 비난의 대상이 되어 재액과 곤란이 덮쳐 큰 사고를 당하게 됩니다.

4의 수가 중복되 나왔을 경우 자신의 사주와 맞지 않으면 지극히 불행한 운세로 나타나거나 불행의 수로 보게 된다는 것입니다.

비밀번호 만드는 법
예) 5768일 경우5+7, 7+6, 6+8 세계로 나누어 각각 합하여 운을 보고 합하여 나온수 3개를 더하여 총운을 보면 됩니다.
12, 13, 14의 각 운을 본다음 12+13+14=39가 되므로 각각의 운이 좋아야 하고 합해서 나온수 39의 운까지도 좋게 만들어져야 합니다.

주민등록번호는 임의로 바꿀수 없는 수 이므로 본인이 가지고 있는 고유의 주민번호를 알아 보아 좋지 않을 경우 바꿀 수 있는 각종 비밀번호나 전화번호 또는 통장번호등을 바꾸어 주므로써 비보할 수 있게 됩니다.
주민번호는 앞 7자리를 더하여 좋은 수인가를 보고 뒤 7자리를 더한수가 좋은가를 본후 앞과 뒤의 모든 합한수를 보게된면 알 수 있습니다.

자동차번호는 뒤의 4자리만을 보아야 합니다.
자동차번호는 비밀번호 보는법과 마찬가지로 보게 되면 됩니다.

이름은 한자의 획수를 보아야 하는데 이름 석자의 각 획수를 파악한후 첫째와 두 번째, 두 번째와 세 번째 이 둘을 합한 수로서 보아야 합니다. 이 세가지가 모두 좋을 경우가 좋은 이름이 되는 것이며, 하나라도 좋지 않으면 좋은 수가 되도록 해야 할 것입니다.
이 방법으로 부르는 이름을 따로 만들거나 아니면 호를 지어서 보완해줄 필요가 있습니다.

또한 주민등록번호는 바꿀 수 없어도 각종 비밀번호나 전화번호, 통장번호 같은 경우는 바꿀 수 있습니다.
차 같은 경우는 차를 바꾸기 전에는 어려운 상태이므로 차량 교체시 신경써서 변경하면 좋은 것입니다.(뒷 4자리가 중요함)

수리에 의한 판단
(◎ 대길, ○ 보통길함, △ 흉함중에 조금 나음, X 흉함)

1. ◎ 강한 의지력으로 영달과 개척, 형통과 복록을 의미하는 수리
2. X 의지가 박약해 항상 동요하여 혼란과 혼돈으로 안정되지 못하는 수리
3. ◎ 활동적이며 천혜의 복을 누리는 수리
4. X 낭비와 방탕으로 요절하게 되며, 재난과 앙화가 꼬리를 물고 다니는 수리
5. ◎ 활달하고 변화하면서도 좋은일에 기여, 성공하고 복록을 누리게 될 수리
6. ◎ 덕행과 더불어 선조의 은덕을 받아 일생을 평안하게 지내는 좋은 수리
7. ◎ 독립심과 의지력이 리더쉽을 발휘하면서 뜻한 바를 필경 이루는 수리
8. ◎ 의지가 견고하고 진취적인 기상이 특출하여 목적을 이루는 수리
9. X 재화가 허물어지고 공로가 헛되이 되어 불행과 파산, 파멸을 초래하는 수리
10. ◎ 공허와 몰락, 그리고 암흙 천지에서 헤매이는 고독한 수리
11. ◎ 천지조화의 복록으로 최고의 부귀와 영화를 얻을 금복의 수리
12. X 실패와 병약으로 타고난 수명을 제대로 누릴 수

없는 운명적 비극의 수리
13. ◎ 학문과 예술적 재능이 풍부하고 지모와 뛰어난 책략을 가진 수리
14. X 비오는 밤길을 걷는 형국으로 실패와 빈곤과 파괴를 당하는 수리
15. ◎ 출중한 수완으로 민첩하게 큰 공을 세워 명성과 덕망을 얻게 될 수리
16. ◎ 존귀한 지위와 덕망이 높아 평안과 부귀, 명성과 영예를 공유하는 수리
17. ◎ 강인하고 강직하여 아무리 어려운 일일지라도 능히 돌라, 성사시키는 수리
18. ◎ 지혜와 용기로 매사를 강력하게 추진, 큰 발전과 성공을 이루는 수리
19. X 재능 있고 활동적이긴 하나 하는 일마다 불운이 겹치는 허망한 수리
20. X 흉측과 병고에 시달리다가 파멸하게 되고 결국 패망하는 지독히 나쁜수리
21. ◎ 두령격이고 사기가 충만하여 많은 사람을 지도하는 대운의 수리
22. X 심신이 병약하고 고독해지며 모든 일이 실패의 연속으로 치닫는 수리
23. ◎ 맹호가 날개를 더한 형상으로서 권세와 권위가 매우 왕성한 수리
24. ◎ 지혜와 지략, 지모가 출중하여 적수공권으로도 일가를 번창시키는 수리

25. ◎ 대단히 총명한 성품을 지녀 지위를 얻으며, 권위와 부귀를 누릴 수
26. ○ 파란이 중첩되고 변화무쌍하지만 때로는 기이한 운명적 영웅의 수리
27. X 풍파와 좌절, 실패와 고통을 연속적으로 겪게 되는 비탄의 수리
28. X 토끼가 호랑이 굴에 들어간 격으로 조난을 자초해 불길에 휩싸이는 수리
29. ◎ 명성과 실리를 널리 취하여 대성하고 만사 대길할 최고의 수리
30. X 조난과 역경에 시달리다가 결국 매사가 실패로 끝나는 허망한 수리
31. ◎ 백절불굴의 의지와 용기로 대망을 쟁취, 영예와 부귀를 갖는 수령의 수리
32. ◎ 특출한 수완을 발휘, 큰 희망을 찬연히 꽃피울 수 있는 대길의 수리
33. ◎ 힘차게 솟아오르는 아침 해처럼 기세가 등등하여 전도가 앙양한 수리
34. X 흉악과 병악으로 환난이 잦으며 파괴와 고통, 파멸로 이어질 흉운의 수리
35. ◎ 특출한 재능과 지모로 선량과 화합과 순리로 대길운을 이끄는 수리
36. X 고난과 파란이 그치지 않는 형세로 역경을 겪은 후 조금 나아지는 수리
37. ◎ 천운과 천복을 타고나 위엄과 존경, 복록을 받게

되는 대길운의 수리
38. ◎ 탁월한 재주와 총명한 두뇌로 예능계에서 특출하게 될 대길운의 수리
39. ◎ 지혜롭고 장수격으로 권위와 권세를 겸비하여 부귀영화를 누리게 될 수리
40. X 지략과 재능과 담력은 풍부하나 덕망이 결핍, 파란과 곡절을 겪고 좌절과 쇠퇴의 길을 걷게 될 흉험의 수리
41. ◎ 덕망과 부귀와 복록이 무궁무진하게 몰려드는 전도양양한 수리
42. ○ 타고난 두뇌가 총명하고 박학다식하여 예술과 기예에 탁월한 수리
43. X 산재와 무존으로 외화 내빈하는 엄청 좋지 않은 수리
44. X 빈천과 파란, 파괴와 병고가 한꺼번에 밀려오는 대흉액의 수리
45. ◎ 순풍에 돛을 단 듯 만사가 뜻대로 잘 되며, 형통하는 대길운의 수리
46. X 금은 보화를 실었으나 풍랑을 만나 좌초하고 파선하는 흉측의 수리
47. ◎ 천지에 꽃이 만발하여 아름다운 향기를 뿜으며 알찬 결실을 맺는 수리
48. ◎ 지혜와 지모, 덕망 또한 높으니 존경과 신뢰를 받을 수리
49. X 개척정신의 박약으로 크게 실패하게 되어 불운이

겹겹으로 쌓이는 수리
50. X 용두사미 격이라 낭패를 당하게 되고 곤혹과 파멸을 자초하는 수리
51. X 파란과 곡절이 난무하여 변동이 심하고 부침으로 비참해질 운세의 수리
52. ◎ 처음엔 다소 힘들더라도 나중엔 태평해질 대기만성형의 수리
53. X 표리부동하여 내우 허영으로 변파를 일으키는 대단히 불길한 수리
54. X 파란이 중첩되어 아무리 열심히 노력해도 실패만 거듭되는 흉험의 수리
55. ◎ 자신에게 주어진 행운의 기회를 잘 포착하여 성실하게 매사를 추진하면 크게 성공할 수 있는 운세의 수리
56. X 부부궁이 불길하고 손재와 관재구설 등 재앙이 따라 불길한 수리
57. ◎ 탁월한 재능을 바탕으로 최선을 다하면 영광과 부귀의 천혜를 얻을 수리
58. ◎ 강한 의지로 재복이 융성하여 재화가 많으며 말년이 더욱 좋은 수리
59. X 총명한 두뇌를 가졌으면서도 인내력이 부족하고 소심하여 실패하는 수리
60. X 대불운의 먹구름이 도사리고 있어 하는 일마다 크게 패하는 수리
61. ◎ 영광과 명예와 실리를 함께 얻을 수 있을뿐 아니라

심신에 운기가 서려 있어 존귀하고 부귀한 대길운의 수리
62. X 재운도 복록도 없고 불화를 겪어 불행의 늪에서 헤어나지 못하는 수리
63. ◎ 오랜 가뭄 끝에 단비를 만나듯 풍요롭고 융성하여 발전하는 번영의 수리
64. X 모든일이 뜻대로 되지 않아 언제나 재앙이 득실거리는 불운의 수리
65. ◎ 대길운을 얻어 다복장수하고 부귀영화를 한껏 누리는 천혜의 수리
66. X 지나친 과욕이 실패를 부르게 되고 결국 패가망신하여 좌절을 겪을 수리
67. ◎ 대운을 얻어 뜻하는 바를 마음껏 이룰 수 있어 천혜를 누리는 대길의 수리
68. ◎ 투철한 정신력과 강한 의지력으로 모든 계획이 견실해 성공을 이루는 행운의 수리
69. X 나태하여 불안과 동요가 심해지고 궁박해지는 대단히 불길한 수리
70. X 암흑 천지에서 헤매며 일생동안 전혀 빛을 볼 수 없는 수리
71. △ 노력한들 용기와 기백이 약해 전력을 쏟아도 크게 전진하지 못하는 수리
72. X 먹구름이 밝은 달을 가려 칠흙 같은 불안이 쌓이는 수리
73. ◎ 천혜의 은덕과 자연의 혜택을 받아 일평생 안정과 복록을 누릴 수리

74. X 끝없는 미로를 헤매다가 출구를 찾지 못해 어둠 속에서 보내는 수리
75. ○ 대복은 없지만 분수를 잘 지키면 일생을 평안하게 보내는 수리
76. X 병약하여 단명하는 흉측한 수리로 배우자와의 관계도 돈독하지 못한 수리
77. △ 수많은 흉중에도 약간의 길운이 있어 그나마 다행, 인생전반에는 흉하나 후반기에는 길운이 있는 다행한 수리
78. △ 길흉이 반반인 평범한 수리, 그러나 말년이 불운한 수리
79. X 역경에 처해 헤어나지 못하여 아무리 발버둥쳐도 활로를 찾지 못하는 황망한고 침침한 수리
80. X 어두운 곳에서 공허와 고독, 실의에 빠져 고난의 생활을 해야 하는 수리
81. ◎ 온갖 풍상과 불길은 모두 사라지고 뜻한 바 소원이 성취되며, 명예를 되찾고 부귀와 영화가 찾아드는 행운의 수리

저자 약력

* 사주명리상담 현업
* 타로심리 상담사
* 최면세션 심리치료
* 역학자문위원
* 고전풍금 및 아코디언 연주가

저서

* 직관 필 사주명리
* 써먹는 타로카드
* 타로실전 리딩 사례집
* 타로 손자병법
* 옥소리 아코디언교본
* 오라이 77번 버스안내양
* 손금 그속의 비밀
* 사주한자독파교본
* 마차집일기
* 건강이 재물이다
* 인연 창작시집
* 어서와! 사주독학은 처음이지 외 다수

작가연락처
* 메일 cyberm91@naver.com
* 블로그 http:://blog.naver.com/cyberm91
* 홈 https://tarounse8.modoo.at/

어서와!사주독학은 처음이지

지은이 | 박광열

펴낸이 | 한건희

펴낸곳 | 주식회사 부크크

발행일자 | 2024년 1월 19일

출판사등록 | 2014.07.15.(제2014-16호)

주　소 | 서울특별시 금천구 가산디지털1로 119 SK트윈타워 A동 305호

전　화 | 1670-8316

이메일 | info@bookk.co.kr

isbn|979-11-410-6706-9